Greet Beukenkamp

Sneeuwstorm

Tekeningen Els van Egeraat

Leopold / Amsterdam

De Nederlandse Kinderjury 2008

Eerste druk 2007

© 2007 tekst: Greet Beukenkamp

Omslag en illustraties: Els van Egeraat

Omslagontwerp: Rob Galema

Uitgeverij Leopold, Amsterdam / www.leopold.nl

ISBN 978 90 258 5172 9 / NUR 282/283

Sneeuwstorm

RUGZAKAVONTUUR

RUGZAKAVONTUUR

www.rugzakavontuur.nl

Inhoud

De slimste hond
van de hele wereld

'Daar is het!' roept Tim. 'Ik herken het van de foto op internet. Dit is het huis dat we gehuurd hebben.'

'Dat heet een chalet,' zegt Tara eigenwijs.

'Alsof dat niet hetzelfde is.' Tim lacht.

'Nee, hoor.' Zijn zusje schudt hard met haar hoofd. Haar paardenstaart zwiept van links naar rechts. 'Een chalet is wel een huis, maar een huis is niet altijd een chalet. Hè, pap?'

Hun vader lacht alleen maar. Hij stuurt de auto de parkeerplaats op. Krakend over de dikke sneeuwlaag komt hij tot stilstand.

De auto van Sven stopt vlak naast hen. De walkietalkie die naast Tim op de bank ligt, begint te piepen.

'Hallo, hallo,' klinkt de stem van Sven. 'Bestemming bereikt om kwart over vijf. U mag het voertuig verlaten. Over.'

Tim pakt de walkietalkie en drukt het rode knopje in. 'Boodschap ontvangen. We stappen nu uit. Over en sluiten maar.'

Terwijl hij het toestel in zijn rugzak stopt, lacht hij door de autoruit naar Sven. Het was toch maar een goed idee om zijn walkietalkie mee te nemen. De hele weg naar Oostenrijk hebben ze zitten kletsen.

Ze hebben niet alleen veel plezier gehad, het was ook makkelijk. Als Svens vader moest tanken, riep Sven hen op. Ze stopten dan bij het eerstvolgende benzinestation. Ook wanneer iemand moest plassen, of...

Opeens klinkt vlak achter hem een luid geblaf.

'Au!' Tim houdt zijn hand tegen zijn oor.

'Ik denk dat Senne nodig moet,' zegt hij. 'Ik ga haar even uitlaten.'

Zijn moeder draait zich naar hem om.

'Ja, dat is goed,' zegt ze. 'Dan brengen wij de bagage alvast naar binnen.'

Tim stapt de auto uit.

'Mag ik mee?' roept Tara.

Tim aarzelt. Hij heeft eigenlijk veel liever dat Marit mee gaat. Maar Svens zusje loopt net met een grote tas naar het chalet.

'Nou, vooruit dan maar,' zegt hij.

Terwijl hij naar de achterkant van de auto loopt, begint Senne opnieuw te blaffen. Ze krast wild met haar nagels over de achterklep.

'Senne! Af!' roept Tim, maar het is al te laat.

Met grote stappen komt zijn vader aangelopen.

'Laat die rothond eens ophouden!' roept hij boos.

Hij opent de achterbak en Senne springt eruit. Ze loopt meteen naar de rand van het parkeerterreintje en doet een grote plas. Ondertussen inspecteert Tims vader de achterklep.

'Verdorie,' foetert hij. 'Moet je die bekleding zien. Allemaal krassen.'

'Senne moest nodig,' zegt Tim.

'Dat zal wel, maar dan hoeft ze de auto nog niet te vernielen.' Met een nijdig gebaar tilt hij een koffer uit de achterbak. 'Als dat beest maar niets in het chalet kapotmaakt.'

'Daar zijn we voor verzekerd,' probeert mama hem te sussen.

'Dat vraag ik me af. We hadden al die toestanden niet gehad als je moeder Senne in huis had genomen. Die knie van haar...'

'Met die knie kan ze niet lopen. Dat weet je ook wel.'

Tim ziet hoe de anderen net doen of ze het geruzie niet horen. Hij schaamt zich. Haastig klikt hij de riem aan Sennes halsband vast. Zonder omkijken loopt hij het parkeerterreintje af.

Hij slaat de weg in die ze gekomen zijn. De ruziënde

stemmen van zijn ouders vervagen. Dan hoort hij vlugge voetstappen achter zich.

'Senne ís geen rothond,' klinkt het hoge stemmetje van Tara. Haar hand glijdt in die van hem.

'Papa moet niet zo zeuren over die paar krasjes,' gaat ze verder. 'Senne maakt anders nooit iets stuk.'

'Dat weet ik ook wel.' Tim zucht. 'Maar pap heeft nu eenmaal iets tegen Senne. Ze hoeft maar iets verkeerds te doen, of zijn humeur is beneden nul.'

Tim begrijpt ook wel dat het best lastig was om Senne mee te nemen op skivakantie. Het is een grote hond en dat met al die bagage. Maar mama heeft een paar tassen tussen Tara en hem in gezet. Zo kwam in de achterbak een plaatsje vrij voor Senne.

Eigenlijk zou Senne naar oma gaan. Maar oma was gevallen en nu kon ze de hond niet hebben. Dagenlang had zijn vader daarover lopen mopperen. Tim had nog geprobeerd om hem op te beuren.

'Senne is een echte berghond,' had hij gezegd. 'Als jij in een lawine terechtkomt, kan zij je opsporen.'

Pap had niet eens geantwoord.

Om de bocht komt een auto. Tim trekt zijn zusje aan de kant en wacht tot hij voorbij is.

'Zullen we hierin gaan?' Tara wijst op een zijweggetje dat de berg op slingert. Aan weerszijden liggen hoge sneeuwwallen.

'Ja, goed,' zegt Tim.

Ze lopen een eindje, tot ze bij een bruggetje komen. Daar maakt Tim de riem los. Senne rent meteen naar het beekje en begint van het ijskoude water te drinken. Tim kijkt vanaf het bruggetje op zijn hond neer.

Als het morgen maar goed gaat, denkt hij. Als ze maar niets kapotmaakt. Thuis kan ze prima alleen zijn, maar hier?

'Zal ik me verstoppen?' Tara staat opeens naast hem. 'Net als laatst in de duinen, weet je nog? En dan moet Senne me zoeken.'

Beneden bij het water kijkt de hond op.

Tim lacht. 'Ze verstaat je.' Zachtjes zegt hij: 'Als jij nu vlug doorloopt, dan verstop je je ergens voorbij de volgende bocht.'

Tara knikt. Meteen rent ze weg.

Tim wacht tot Tara de bocht om is. Dan roept hij: 'Kom Senne, spelletje!'

Met een paar sprongen is de hond bij hem. Tim klikt de riem vast aan haar halsband. Senne snuffelt even over de grond. Dan kijkt ze in de richting waarin Tara verdwenen is.

Tim houdt de riem stevig vast.

'We moeten Tara even de tijd geven,' zegt hij. 'Nog een paar minuten, dan mag je haar gaan zoeken. Je moet dus nog even wa...'

Op dat moment klinkt er een gil.

Voordat Tim er erg in heeft, ligt hij languit op de grond. Hij ziet hoe Senne het weggetje af rent. De riem slingert achter haar aan. Er moet iets met zijn zusje zijn gebeurd!

'Zoek Tara!' roept Tim in paniek. Haastig krabbelt hij overeind en rent achter zijn hond aan. Als hij de bocht om komt, is Senne nergens te bekennen.

Dan valt zijn oog op de pootafdrukken in de sneeuw. Die móeten van Senne zijn. Hij volgt ze. Een eind verderop buigen ze naar rechts. Ze verdwijnen over de sneeuwwal.

Tim klautert erbovenop. Aan zijn voeten ligt een uitgestrekt sneeuwveld. Het is ongerept, op een diep spoor van kinderlaarsjes en hondenpoten na.

Aan het eind ervan ziet hij Senne plotseling opduiken. De hond springt uitgelaten in het rond. Dan verschijnt ook Tara. Ze zwaait lachend naar hem. Tim zucht opgelucht.

'Wat is er gebeurd?' roept hij.

Tara gebaart dat ze het zo wel zal vertellen. Even later staat ze hijgend voor hem.

'Ik wilde me bij de beek verstoppen,' begint ze, 'maar ik gleed uit en toen viel ik in het water. Mijn nieuwe laarzen zijn helemaal nat en mijn ene broekspijp ook.'

'Heb je je geen pijn gedaan?' vraagt Tim.

Tara schudt haar hoofd. 'Maar het water was ijskoud,' zegt ze. 'En de kant was veel te steil. Ik gleed telkens terug. Toen was Senne er opeens. Ze sprong ook in de beek. En toen kon ik me aan haar vasthouden. Zo ben ik eruit gekomen.'

'Dus jij hebt Tara gered,' zegt Tim tegen Senne. Hij slaat zijn armen om haar hals en drukt een zoen op haar brede kop. 'Je bent de slimste hond van de hele wereld.'

Dan helpt hij Tara van de sneeuwwal af.

'We moeten maar gauw teruggaan,' zegt hij. 'Anders vat je nog kou.'

Leugentjes

Als Sven de deur van het chalet opendoet, trekt Senne zich los en rent naar binnen.

'Hé, ga weg, vies beest,' klinkt de boze stem van Tims vader. Hij komt de gang in.

'Hoe komt die hond zo nat!' vraagt hij bars.

'Senne heeft Tara uit een beek gered,' antwoordt Tim.

'Maak dat de kat wijs,' bromt zijn vader.

'Het is echt waar. Kijk maar.' Tim wijst naar Tara, die haar laarsjes heeft uitgetrokken en nu bezig is met haar broek.

'Hoe kwam ze dan in die beek terecht?' vraagt zijn vader.

'Gewoon, erin gevallen, toen ik me wilde verstoppen,' antwoordt Tara. Ze vertelt het hele verhaal. 'En Senne heeft me eruitgehaald,' besluit ze.

'Zie je nou hoe goed het is dat we Senne hebben meegenomen?' zegt Tim.

'Hmm,' bromt zijn vader. Zijn gezicht staat zuur. 'Als we Senne niet mee hadden genomen, dan had je haar ook niet uit hoeven laten. En dan was Tara niet in die beek gevallen.'

Even weet Tim niet wat hij moet zeggen.

'Jij hebt altijd al een hekel aan Senne gehad,' schreeuwt hij dan. 'Maar Senne is hartstikke lief. Veel liever dan jij!'

Met een ruk draait hij zich om en rent de trap op. Boven aangekomen aarzelt hij. Voor hem ligt een gang met vier deuren. Maar wat is de kamer van Sven en hem?

Onverwachts gaat de deur links van hem open en komt Marit tevoorschijn.

'Je spullen staan hier,' zegt ze.

Tim loopt achter haar aan naar binnen. In de kleine kamer staan twee stapelbedden; twee onder en twee boven.

'Waar is Sven?' vraagt hij.

'Die heeft de kamer aan het eind van de gang,' antwoordt Marit. 'Mijn broer wil liever alleen slapen. Daarom staat je tas hier.'

Tim voelt zich opnieuw boos worden. Hij dacht dat Sven en hij vrienden waren. Thuis hadden ze toch afgesproken dat ze op één kamer zouden gaan?

Tim kijkt om zich heen. Op een van de onderbedden liggen de spullen van Tara. En op het bed erboven ligt zijn tas. Het andere bovenbed is al opgemaakt. Daar slaapt Marit natuurlijk.

Tim vindt Marit heel leuk, maar samen met haar op een kamer... Hoe moet dat als hij zich om wil kleden? Hij krijgt het er warm van. Hoe moet hij zich hieruit redden? Opeens weet hij het.

'Ik zou het leuk vinden om hier te slapen, hoor, maar het kan niet. Senne slaapt altijd op mijn kamer. Als het koud is, komt ze op mijn voeteneind liggen. Bij zo'n bovenbed gaat dat niet. Dus als je het niet erg vindt...'

'Dan ga je toch beneden slapen?'

Tim schudt zijn hoofd. 'Dat vind ik veel te benauwd.' Haastig grist hij zijn tas van het bed. Voordat Marit nog iets kan zeggen staat hij weer op de gang.

Hij heeft zijn kamer gauw gevonden. Sven ligt met gesloten ogen op bed. Hij heeft een koptelefoontje op. De muziek staat hard.

Tim zet zijn tas met een zwaai op het andere bed. Sven mag dan twee jaar ouder zijn, Tim laat zich niet zomaar de kamer uit sturen. Een paar minuten later liggen zijn kleren in de kast.

'Hé, kom je toch hier slapen?' hoort hij Sven achter zich zeggen.

Tim draait zich om. 'Ik ga niet bij die twee meiden,' antwoordt hij stuurs.

Sven grinnikt. 'Marit had het anders best leuk gevonden.'

Tim voelt zijn wangen rood worden.

'Ze kwam een kwartiertje geleden hier binnen,' gaat Sven verder. 'Ze wilde weten of ik het niet vervelend vond om alleen te slapen.'

Het duurt even voordat het tot Tim doordringt. Dus het was Marit die...

'Mij maakt het niet uit,' gaat Sven verder. 'Wat mij betreft mag je bij Marit.'

Tim geeft geen antwoord.

'Ze is op je,' zegt Sven plagerig.

Tim doet of hij iets uit de kast nodig heeft.

'Dat moet zij weten,' mompelt hij.

Sven grinnikt. 'Ben jij ook op haar?' vraagt hij.

Gelukkig hoeft Tim geen antwoord te geven, want beneden wordt geroepen dat het eten op tafel staat.

Tijdens de maaltijd wordt er druk gepraat over morgen. Ze moeten vroeg op. Om kwart voor tien hebben ze bij de skischool afgesproken. En daarvoor moeten ze eerst nog naar het verhuurbedrijf om schoenen te passen en ski's uit te zoeken.

Tim luistert er met een half oor naar. Hij is doodmoe van de lange reis. Hij kan zijn ogen nauwelijks openhouden. Dan schrikt hij van een luide lach.

'Tim slaapt al bijna,' hoort hij Svens vader zeggen.

'N-nietes,' hakkelt hij.

'Geeft niks, hoor,' gaat Svens vader verder. 'Ik ben ook best moe. Als de afwas is gedaan, duik ik meteen mijn bed in. Ik wil morgen uitgerust zijn als ik ga skiën.'

Tim breekt een stuk van zijn broodje af en doopt het lusteloos in zijn erwtensoep. Eigenlijk is hij te moe om te eten. Toch durft hij de soep niet te laten staan. Svens moeder heeft een hele pan vol gemaakt en die uit Nederland meegenomen.

Hij kijkt naar Sven. Die heeft vast ook geen trek, want hij roert alleen maar met zijn lepel door de soep. Opeens legt Sven zijn lepel neer.

'Pap, kan ik morgen nou echt niet met jullie mee?' vraagt hij.

'Nee, Sven,' antwoordt zijn vader vriendelijk maar beslist, 'daar hebben we het al eerder over gehad. Wij willen ook wel eens gezellig onder elkaar zijn, zonder kinderen. Dus jij gaat gewoon samen met de drie anderen in het ski-klasje. Ik wil er niets meer over horen.'

Tim ziet hoe Sven zich met een nors gezicht over zijn bord buigt. 'Ik wil niet met die kleintjes,' heeft hij hem laatst horen zeggen. Tim is er nog steeds een beetje boos over. Het klinkt net of Sven zich te goed voelt voor hen. Waarom? Vorig jaar hebben ze toch ook leuk met elkaar geskied?

Plotseling voelt Tim de kop van Senne op zijn schoot. Ze is stilletjes onder de tafel gekropen. Onopvallend vist hij een plakje worst uit zijn soep. Als niemand kijkt, geeft hij het haar vlug.

Hij schrikt van de boze stem van zijn vader.

'Hoe vaak heb ik je niet gezegd dat je die hond niets moet geven aan tafel.' Met zijn voet duwt hij Senne weg. 'Op je plaats!' zegt hij streng.

Haastig gaat de hond op haar kussen liggen. Er valt een vervelende stilte.

Tim lepelt met neergeslagen ogen zijn soep verder naar binnen. Van het begin af aan heeft pap iets tegen Senne gehad. Eigenlijk wilde hij helemaal geen hond. Maar mam wist hem om te praten. Samen met mam was Tim toen naar het asiel gegaan. Ze waren thuisgekomen met een Berner sennenhond.

'Waar moet Senne vannacht eigenlijk slapen?' vraagt zijn moeder opeens.

'Bij mij op de kamer,' flapt Tim eruit.

'Daar komt niets van in,' zegt zijn vader. 'Thuis slaapt ze altijd beneden onder de trap. Dat kan hier ook, heb ik gezien.'

Tim krijgt een hoofd als een biet. Hij duwt zijn lege bord van zich af en staat op.

'Ik ga Senne nog even uitlaten, hoor,' zegt hij zonder Marit aan te kijken. Haastig loopt hij naar de voordeur.

Een lekker ding

De volgende ochtend zijn ze al vroeg op. Tim ontbijt haastig, zodat hij genoeg tijd heeft om Senne uit te laten.

Als hij de deur uit gaat, is het nog niet helemaal licht. Hij volgt hetzelfde pad als gisteren. Nadat Senne geplast en gepoept heeft, speelt Tim nog even met haar. Hij gooit sneeuwballen en samen rollen ze door de sneeuw. Als hij terugkomt, staan de anderen al op hem te wachten. Vlug laat hij Senne het huis in. Hij drukt een kus op haar kop.

'Braaf zijn, hè?' fluistert hij in haar oor. 'En niks stukmaken. Over een paar uur ben ik terug en dan laat ik je weer uit.'

Senne kijkt hem begrijpend aan. Als Tim naar de deur loopt, sjokt ze naar haar kussen onder de trap en ploft erop neer.

In de kelder van de winkel moeten ze skischoenen passen. Daarna krijgen ze ski's aangemeten. Het duurt Tim allemaal veel te lang. Wanneer gaan ze nou skiën?

Eindelijk zijn ze klaar. Klossend op zijn skischoenen loopt Tim achter de anderen aan de winkel uit. De ski's liggen stoer over zijn schouders. Gelukkig is de skischool niet ver.

De twee vaders zijn er alvast heen gegaan.

'We hebben alles al geregeld,' zegt Svens vader. 'Jullie skilerares komt er zo aan.'

'Een vrouw,' zegt Sven smalend. 'Als het maar niet zo'n tuthola is als vorig jaar.'

'Kan ík er wél mee door?' klinkt een stem achter hen.

Ze draaien zich alle vier tegelijk om. Tim ziet een meisje in een knalrood skipak. Haar lach klinkt helder in de koude lucht. Ze heeft lang blond haar. Het wordt naar achteren gehouden door een skibril op haar hoofd.

Tim gluurt naar Sven. Die heeft een kleur als vuur gekregen.

'Als jullie het goedvinden, ga ik jullie de komende week skiles geven,' gaat ze onverstoorbaar door. 'Maar laat ik me even voorstellen: Ik heet Julia.' Ze werpt Sven een stralende lach toe. 'En hoe heet jij?'

Svens mond gaat open en dicht, ziet Tim, als van een vis op het droge. Maar er komt geen geluid uit.

'Hij heet Sven,' schiet Tim hem te hulp.

'Dat kan ik zelf ook wel zeggen,' sist Sven hem toe.

Julia doet of ze het niet heeft gehoord.

'Mooie naam,' zegt ze. 'Hoe oud ben je?'

Sven aarzelt even. 'Twaalf,' antwoordt hij dan.

'Ik hoorde dat jullie voor de tweede keer op wintersport zijn,' gaat Julia verder.

'Wij wel,' komt Tara ertussen. 'Maar papa en mama zijn al vaker geweest. Die kunnen al heel goed skiën.'

'Sven kan het ook al best goed,' zegt Tim om het goed te maken. 'Die is vorig jaar zelfs een zwarte piste af gegaan.'

'Ik had het niet eens door,' zegt Sven. 'Ik merkte alleen dat hij heel steil was.' Hij lacht verlegen. 'Maar ik ben niet gevallen,' voegt hij er trots aan toe.

'Dus jij bent een kampioen in de dop,' zegt Julia.

'Nou ja...' Sven is nu helemaal rood.

Tim wou dat hij net zo goed kon skiën als Sven. Die is nergens bang voor. Zelf vindt hij het nog steeds een beetje eng. Vooral als er een ijslaagje op de piste ligt. Dan glijdt hij soms zomaar een heel stuk naar beneden en...

'En hoe heet jij?' hoort hij Julia opeens zeggen.

Hij kijkt verschrikt op. Heeft ze het tegen hem? Hij doet zijn mond al open om te antwoorden, maar Marit is hem voor.

'Dat is Tim,' zegt ze, 'en ik ben Marit.' Ze komt naast hem staan en slaat een arm om zijn schouders. Tim schudt haar arm af.

'En hoe oud zijn jullie?' vraagt Julia.

'Ik ben tien,' antwoordt Tim.

'En ik negen,' zegt Marit.

'Dan moet jij Tara zijn,' zegt Julia.

Tara knikt. 'Ik ben het zusje van Tim en ik ben zeven.'

Julia knikt haar vriendelijk toe. 'Nu we kennis hebben gemaakt, moesten we maar eens gaan,' zegt ze. 'Het is al over tienen.'

Als Tim met Julia mee wil gaan, houdt zijn moeder hem tegen.

'Hier, voor jullie allemaal,' zegt ze zacht, 'om wat van te kopen.' Ze stopt iets in zijn zak.

Tim geeft haar een kus. Dan haast hij zich achter de anderen aan. Sven loopt naast Julia. Van achteren lijken ze even oud. Maar dat is natuurlijk niet zo. Julia moet minstens vijf jaar ouder zijn. Ze lijkt een beetje op Tims buurmeisje en zij is achttien.

'Gaan we niet verkeerd? hoort hij Sven vragen als ze links-af slaan.

'Nee, hoor,' antwoordt Julia.

'Het dalstation van de kabelbaan is rechtdoor,' zegt Sven.

'We gaan eerst naar de oefenlift.'

Sven staat zo plotseling stil dat Tara tegen hem op botst. Tim botst op zijn beurt weer tegen Tara op.

'De oefenlift is voor kleuters!' roept Sven veront-waardigd. 'Waarom gaan we niet meteen met de kabel-baan?'

'Omdat ik eerst wil weten hoe goed jullie kunnen skiën.'

'We kunnen het allemaal hartstikke goed!' probeert Sven nog, maar als Julia verder loopt, volgt hij toch.

Vijf minuten later suist Tim met Sven over het oefenbaantje. Als ze onderaan zijn, kijken ze naar de meisjes. Die gaan met nette bochtjes naar beneden. Julia skiet erachteraan.

'Wat is ze knap, hè?' zegt Tim.

'Wel een lekker ding, ja,' antwoordt Sven.

Tim grinnikt. 'Zal ik zeggen dat je haar leuk vindt?'

'Als je dat maar laat.'

'Misschien vindt zij jou ook wel leuk,' plaagt Tim.

'Hou je kop!'

Julia stopt vlak naast hen. 'Jullie gaan best goed,' zegt ze tevreden. 'Nog twee keer en dan gaan we met de kabelbaan naar boven.'

Een leuke vakantie...

Opgewonden stapt Tim in de gondel die hen hoog de berg op zal brengen. Nu wordt het pas echt. Wat schokkerig hobbelen ze het dalstation uit. Dan zweven ze door de lucht.

Tim kijkt naar beneden. Ze glijden over een groepje bomen en even later over een brede piste. Zouden ze daar straks naar beneden skiën? Het ziet er best steil uit. Hij volgt een jongen die even oud lijkt als hij. Alsof het joch nooit anders gedaan heeft, suist hij naar beneden. Tim zucht. Kon hij het maar zo goed.

De jongen wordt aan het oog onttrokken door een klein bos. Aan de rand ervan ziet Tim een huis. In de tuin speelt een meisje met een grote zwarte hond.

Meteen denkt hij aan Senne. Hoe gaat het met haar? Slaapt ze? Of zit ze voor het raam te wachten tot hij thuiskomt? Senne vindt het vervelend om alleen te zijn. Toen ze haar pas hadden, maakte ze nog wel eens iets stuk. Ze heeft zelfs een keer een van mams schoenen kapotgebeten. Toen heeft ze vreselijk op haar kop gehad van pap. Daarna is het nooit meer gebeurd. Tim moet er maar op vertrouwen dat Senne zich ook hier netjes gedraagt.

Terwijl de anderen druk zitten te praten, zit Tim stil te genieten van het uitzicht. Ze zweven over diepe kloven en brede pistes. In het dal ligt hun dorp verscholen onder een

dik pak sneeuw. Tim probeert of hij hun chalet kan ontdek-
ken, maar hij ziet het niet.

'We zijn er,' hoort hij Sven opeens zeggen.

De gondel glijdt het bergstation binnen. Ze stappen uit.
Met zijn ski's over zijn schouder loopt Tim met de anderen
mee naar buiten. Ademloos kijkt hij om zich heen. Rondom
zijn allemaal besneeuwde bergtoppen. De hemel erboven is
strakblauw. Alleen heel in de verte hangt een donkere wol-
kenrand.

Hij schrikt van Julia's stem.

'Doe je je ski's aan?' zegt ze, 'dan kunnen we gaan.'

Een ogenblik later skiën ze weg. Het gaat nu een stuk
sneller dan op de oefenpiste. Tim heeft al zijn aandacht
nodig. Na een poosje stopt Julia. Ze wijst op een sneeuwhoop in de vorm van een kleine springschans.

'Wie durft een sprongetje te maken?'

'Ik!' Sven zet meteen af en even later vliegt hij door de lucht. Een paar meter verderop landt hij netjes op zijn ski's.

Julia klapt enthousiast in haar handen.

Tim vindt het eng, maar hij wil niet voor Sven onderdoen.

'Joehoe,' gilt hij als hij door de lucht zweeft. Met een klap komen zijn ski's op de sneeuw terecht. Even wankelt hij, dan vindt hij zijn evenwicht terug.

'Super!' hoort hij Julia roepen.

Dan is de beurt aan Tara. Als dat maar goed gaat, denkt Tim. Maar zijn zusje komt licht als een veertje terecht.

'Goed, joh,' roept Tim.

Marit gebaart dat ze het ook wil proberen. Ze zet af en suist met een vaartje op de schans af. Tim ziet hoe gespannen ze op haar ski's staat.

'Beetje door je knieën zakken,' roept hij nog.

Een ogenblik later vliegt Marit door de lucht. Haar ski's gaan alle kanten op. Zwaaiend met haar skistokken probeert ze haar evenwicht te bewaren. Als ze neerkomt schiet haar ene ski over de andere. Met een klap slaat ze voorover. Eén ski gaat uit en vliegt door de lucht. Marit schuift nog een heel eind door op haar buik. Precies voor Tims voeten komt ze tot stilstand. Ze blijft griezelig stil liggen.

Tim bukt zich over haar heen.

'Heb je je pijn gedaan, Marit?' vraagt hij.

Langzaam tilt Marit haar hoofd op. Ze duwt haar muts, die helemaal over haar gezicht is geschoven omhoog.

'Ging niet helemaal goed, hè?' zegt ze met een verlegen lachje.

Voordat Tim iets terug kan zeggen, stuift er een wolk

sneeuw over hem heen. Het is Julia, die remmend tot stilstand komt. Meteen trapt ze haar ski's uit.

'Heb je ergens pijn?' vraagt ze bezorgd.

'Nee, ik geloof het niet.' Marit krabbelt overeind. Ze knijpt in haar armen en benen. 'Nee, nergens.'

'Nou, dat is dan goed afgelopen,' zegt Julia opgelucht. 'Denk je dat je verder kunt skiën?'

'Ik denk het wel.'

Terwijl Julia de ski van Marit ophaalt, klopt Tim de sneeuw van haar af.

'Tjé, ik ben me rot geschrokken,' zegt hij. 'Ik dacht even dat er iets heel ergs met je was.'

Marit lacht lief naar hem. Haar gezicht is vlakbij. Ze ruikt naar sneeuw. Tim voelt hoe hij begint te kleuren. Gelukkig komt Julia eraan. Ze stappen weer in hun ski's en gaan in een rustiger tempo verder.

Beneden aangekomen gaan ze meteen weer met de kabelbaan naar boven. Ze maken dezelfde afdaling. Sven is de enige die nog een keer over de skischans springt.

Als ze voor de derde keer naar beneden gaan, skiet Sven telkens een heel stuk vooruit. Maar dat wil Julia niet.

'Ze doet of ik een kleuter ben,' moppert Sven zachtjes tegen Tim. 'Waarom zou ik niet alleen kunnen?'

'Weet je de weg dan?' vraagt Tim.

Sven haalt zijn schouders op. 'Gewoon naar beneden. Toch?'

Tim geeft geen antwoord. Waarom doet Sven zo moeilijk? Het lijkt of hij nooit tevreden is. Ze hebben het toch leuk met elkaar? Julia is hartstikke aardig, het is mooi weer en er ligt genoeg sneeuw.

Gelukkig houdt Sven verder zijn mond. Maar als ze weer in de gondel naar boven zitten, begint hij er toch over.

'Mag ik nu eens een keer alleen naar beneden?' vraagt hij. 'Ik heb goed opgelet en ik ken de weg nu.'

Julia schudt haar hoofd. 'Nee, dat wil ik niet. Stel je voor dat er iets gebeurt. Ik ben wel verantwoordelijk voor jullie.'

'Maar ik zal heel voorzichtig zijn,' voert Sven aan.

'Nee, het kan echt niet,' zegt Julia. 'Om twaalf uur komen je ouders je halen. Wat moet ik zeggen, als je er niet bent?'

Sven geeft geen antwoord. Totdat ze uitstappen zit hij nors voor zich uit te staren. Tijdens de volgende afdaling zegt hij helemaal niks meer tegen Julia.

Tim wil er eigenlijk wat van zeggen, maar hij durft niet. Waarom doet Sven zo vervelend? Vorig jaar was hij helemaal niet zo. Als hij zo stom blijft doen, kan het nog een leuke vakantie worden...

Sven heeft een plannetje

Als Tims vader de deur van het chalet opent, glipt Tim als eerste naar binnen. Senne komt slaperig onder de trap vandaan. Ze rekt zich eerst eens goed uit. Dan pas komt ze zwaaiend met haar staart naar hem toe.

Gelukkig, denkt Tim, ze heeft gewoon liggen slapen. Als beloning geeft hij haar een dikke knuffel.

'Ik ga haar meteen uitlaten,' zegt hij tegen zijn moeder.

'Dat is goed, lieverd.' Ze hangt haar jack aan de kapstok.

Tim doet Senne aan de riem. Net wil hij de voordeur uit gaan, als er vanuit de huiskamer een verschrikte uitroep komt.

'Moet je nou eens kijken,' hoort Tim zijn moeder zeggen. 'Ze heeft er niets van overgelaten.'

Tim houdt zijn adem in. Wat heeft Senne nu weer uitgehaald? Hij wil het niet weten en haast zich naar buiten. Zo zacht als hij kan, trekt hij de voordeur achter zich dicht.

'Wat heb je stukgemaakt, Senne?' zegt hij als ze rechtsaf de weg op gaan. 'Toch niet weer een schoen?'

Senne kijkt naar hem op en zwaait vrolijk met haar staart.

'Ja, jou kan het niet schelen, maar mij wel. Moet je pap straks weer horen.'

'Hé, Tim, wacht even!' wordt er opeens achter hem geroepen. Het is Sven. Op een sukkeldrafje komt hij aangelopen.

'Wat had Senne stukgemaakt?' vraagt Tim.

'Niks.' Sven grinnikt. 'Ze heeft alleen de koektrommel leeggegeten.'

Tim zucht opgelucht. 'Was mijn vader erg boos?' vraagt hij.

'Eventjes. Maar mijn moeder zei dat het haar schuld was. Ze had de koektrommel open op tafel laten staan. Zal ik met je meelopen?' laat hij er meteen op volgen.

'Oké.'

Ze lopen een eindje zwijgend naast elkaar. Tim zou iets willen zeggen over vanmorgen. Dat Julia veel te aardig is om zo lelijk tegen te doen. Maar hij weet niet hoe hij moet beginnen. Ook durft hij niet zo goed.

Onverwacht trekt Senne hem naar rechts.

'Zullen we hierin gaan?' Tim wijst naar het zijweggetje. 'Daar rijden geen auto's.'

'Mij best,' zegt Sven.

Tim maakt Sennes riem los. Hij gooit een sneeuwbal, waar ze uitgelaten achteraan rent.

'Wie het verst kan gooien,' roept Sven.

'Dat ben jij natuurlijk,' zegt Tim.

Ze kneden allebei een stevige bal en gooien hem tegelijk weg. Die van Sven gaat bijna twee keer zo ver. Terwijl ze verder lopen gaan ze door met hun wedstrijdje. Senne doet haar best om alle ballen te vangen. Als ze bij het bruggetje komen hangt haar tong uit haar bek. Hijgend loopt ze naar de beek om te drinken.

Over de brugleuning hangend kijkt Tim naar zijn hond. De zon glinstert in de waterdruppels die uit haar bek druipen. Sven komt naast hem staan.

'Mooi is het hier, hè,' zegt Tim. 'Moet je die ijspegels zien.'

Sven knikt alleen maar. Een hele tijd kijken ze hoe het water tussen de besneeuwde rotsblokken door huppelt.

'Ik wou dat die Julia de hik kreeg,' zegt Sven opeens nijdig.

Tim moet er even om lachen.

'Ik mag helemaal niks van haar,' gaat Sven verder. "Netjes bij me blijven, Sven. Niet zo hard, Sven. Niet verder gaan dan ik gezegd heb, Sven,"' doet hij haar na. 'Ik krijg er wat van. Ik wil gewoon doorskiën en niet aldoor moeten wachten.'

Tim kijkt hem van opzij aan. Bedoelt Sven daarmee dat hij op hém moet wachten?

'Ik begrijp Julia wel,' zegt hij een beetje stroef. 'Ze wil niet dat je een ongeluk krijgt.'

'Maar ik doe toch voorzichtig?'

'Ja, dat wel...' Tim duwt zich los van de brugleuning. 'Ze wil gewoon geen toestanden,' gaat hij verder. 'Stel je voor dat je alleen verder skiet en dat je heel erg zou vallen... Dan weet ze niet eens waar je ligt en...'

'Precies.' Sven prikt een vinger in zijn borst.

Tim doet een stapje achteruit.

'Daarom heb ik een plannetje,' gaat Sven op een geheimzinnige toon verder. 'Dan hoeft Julia zich niet meer ongerust te maken over mij.'

'Wat dan?' Tim wil het eigenlijk niet weten.

'Iets waar ik die walkietalkie van jou voor nodig heb.'

Tim slikt. 'Maar die heb ik voor mijn verjaardag gehad.'

'Ja, en?'

'Nou ja, hij is net nieuw en...'

'Als ik nou beloof dat ik er voorzichtig mee zal zijn?' kapt Sven hem af. 'Zijn de batterijen opgeladen?'

'V...volgens mij zijn ze nog aardig vol,' hakkelt Tim. 'Maar wat wil je er dan mee?'

'Meenemen als we straks gaan skiën.'

'Ja, maar...'

Weer laat Sven hem niet uitspreken. 'Die walkietalkie van jou is mijn enige kans. Als ik Julia mijn plan uitleg, weet ik zeker dat ze het goedvindt.'

'Wat goedvindt?' vraagt Tim.

'Dat ik vanmiddag een afdaling mag maken in mijn eentje.'

Tim zucht. Begint hij daar nu weer over?

'Ik zal het je uitleggen,' gaat Sven verder. 'Ik steek het ene toestel bij me en ik geef Julia het andere. Tijdens de afdaling kan ik contact met haar houden. Ik kan haar precies vertellen waar ik ben en of alles goed met me is. Daar kan ze toch niks tegen inbrengen?'

Tim weet even niet wat hij moet zeggen.

'Je vroeg je af of die walkietalkie het ook in de bergen doet,' vervolgt Sven. 'Nou, dat kan ik dan meteen uittesten.'

'En als je halverwege het contact verliest?' zegt Tim.

'Dan wacht ik gewoon op jullie.'

Tim denkt na. Hij heeft dat inderdaad tegen Sven gezegd. Op de doos stond anderhalf tot twee kilometer.

'Nou, vooruit dan maar,' zegt hij.

'Te gek, man.' Sven geeft hem een vriendschappelijke stomp tegen zijn bovenarm. 'Ik zal er echt heel voorzichtig mee zijn,' belooft hij. 'Ik doe 'm in de binnenzak van mijn ski-jack. Dan kan er niets mee gebeuren.'

Nog één keer dan

Als ze na de lunch bij het dalstation komen, staat Julia al op hen te wachten. In de gondel begint Sven gelijk over zijn plannetje met de walkietalkies. Tim laat de twee toestellen zien en legt uit hoe ze werken. Julia kijkt er weifelend naar.

'Ik wilde juist met jullie een rode piste af gaan,' zegt ze. 'Die is een stuk moeilijker dan de blauwe van vanochtend.' Ze aarzelt even. 'Maar als het goedgaat, wil ik er wel over nadenken.'

'Dus het mag?' vraagt Sven hoopvol.

'Ik zei dat ik erover na zou denken,' zegt ze. Maar aan haar lach is te zien dat ze het goedvindt.

Sven reageert opgewonden en blij. Het werkt aanstekelijk. Ze praten vrolijk met elkaar en maken grapjes.

'Je kan merken dat er ander weer op komst is,' lacht Julia.

'Dat zei mama ook,' zegt Marit. 'Daarom moesten we ons extra warm aankleden.'

'Dat is heel verstandig van je moeder,' zegt Julia. 'De temperatuur gaat dalen en er wordt een dik pak sneeuw verwacht.'

'Nog meer sneeuw!' roept Tara. 'Leuk!'

'Ja, maar dat is wel lastig skiën,' zegt Julia. 'Bovendien gaat het hard waaien.'

'Dan worden we vanzelf de berg af geblazen,' grapt Tara.

Opeens zijn ze er. De gondeldeur klapt open en ze stappen uit. Als ze het bergstation uit komen, is de zon achter de wolken verdwenen. Alles ziet er meteen een stuk minder vrolijk uit, vindt Tim. Terwijl ze in hun ski's stappen, begint het licht te sneeuwen.

'Lekker!' Tara vangt de vlokjes op met haar tong.

'Kom,' zegt Julia. 'We gaan.' Met een vaartje skiet ze weg. Onder aan de helling wacht ze tot iedereen er is.

'Dat ging prima,' zegt ze tevreden. 'Nu komt er een moeilijk stuk.'

Sven mag vooruit skiën tot aan een skihut met een groot terras ervoor. Julia vraagt Tim om achter de meisjes te blijven.

'Voor als een van hen valt,' legt ze uit.

'Ik val heus niet,' zegt Marit beledigd.

'Hè, jammer.' Tim lacht. 'Ik had juist gehoopt dat ik je weer overeind mocht helpen.'

Marit lacht verlegen. Wat ziet ze er zo lief uit, denkt Tim. Hij kijkt haar na, terwijl ze achter Julia aan skiet.

'Jij bént op Marit, hè?' zegt Tara.

'Hoe kom je daar nou bij!' zegt hij.

Maar Tara skiet al weg.

Tim blijft nog even staan. Waarom moet zijn zusje altijd van die opmerkingen maken waar hij zich ongemakkelijk bij voelt? Hij vindt Marit best wel leuk. Als ze lacht, veranderen haar ogen in grappige boogjes. Volgens Sven is Marit op hem. Maar is hij ook op haar? Hij voelt zich altijd heel blij worden als hij haar ziet. Maar ben je dan op iemand?

Dan hoort hij zijn naam roepen. Hij kijkt waar de stem vandaan komt. Ver onder hem ziet hij Julia wenken. Marit staat naast haar en Tara is er ook al bijna. Tim zet af. Hij zal ze eens laten zien wat hij kan. Met een vaartje gaat hij de helling af. Harder en harder gaat het.

Als hij er bijna is, voelt hij hoe zijn linkerski onder hem vandaan schiet. Het volgende moment komt hij hard op zijn rechterschouder terecht. Zijn benen slaan over zijn hoofd en hij ziet een ski voorbij vliegen. Dan ligt hij stil. Er zit sneeuw in zijn mond en ook onder zijn jack.

'Tim!' hoort hij Marit angstig roepen.

Voorzichtig tilt hij zijn hoofd op. Hij spuugt de sneeuw uit. Zijn rechterwang voelt pijnlijk aan. Ook zijn schouder doet zeer. Maar hij wil zich niet laten kennen. Voordat Marit en Julia bij hem zijn, staat hij alweer overeind.

'Heb je je pijn gedaan?' vraagt Marit hijgend.

Hij schudt zijn hoofd. 'Ging niet helemaal goed, geloof ik,' herhaalt hij haar woorden van die morgen.

Marit glimlacht flauwtjes. 'Heb je echt geen pijn?' dringt

ze aan. 'Je wang is vuurrood.' Ze gaat er voorzichtig met haar vingers overheen.

Tim heeft het gevoel dat hij nu pas echt vuurrood wordt.

'Dat komt door de sneeuw,' zegt hij haastig. 'Ik schoof er met mijn gezicht overheen.'

Julia komt met zijn ski's aangelopen. Ze legt ze voor hem neer.

'Zo'n rode piste is een stuk steiler,' zegt ze, 'daardoor ga je al gauw veel te hard. Daar ben je nog niet aan toe. Zorg er dus voor dat je wat meer bochtjes maakt. Dat haalt de snelheid eruit.'

Tim knikt stuurs. Dat weet hij ook wel.

Ze skiën verder naar de berghut. Sven staat er al.

'Jemig, ik ben bijna in een sneeuwpop veranderd.' Hij trekt een mal gezicht.

Tims wang trekt pijnlijk als hij lacht. Sven is inderdaad helemaal wit geworden. Zelfs het rood van zijn muts is nauwelijks nog te zien. Tim krijgt het er koud van.

Om warm te worden, stelt hij voor in de berghut wat gaan drinken. Julia vindt het goed. Ze haasten zich allemaal naar binnen.

Als ze weer buiten komen, is het harder gaan sneeuwen. Ook de wind is toegenomen. Ze zetten hun skibrillen op. In een rustig tempo skiën ze naar het dalstation. Ze gaan meteen weer naar boven.

'Mag ik nu alleen naar beneden?' vraagt Sven als ze uit de gondel stappen.

Julia kijkt naar buiten. De sneeuw jaagt langs de ramen van het bergstation.

'Ik vind het heel vervelend voor je,' zegt ze, 'maar je ziet het zelf: het sneeuwt veel te hard. Stel je voor dat je de weg kwijtraakt.'

'Maar je had het beloofd!' roept Sven verontwaardigd.

'Ik zei dat ik erover na zou denken,' zegt Julia kortaf. 'Nú wil ik het gewoon niet. Je hebt nog een hele week. Het houdt heus wel weer een keer op met sneeuwen.' Ze draait zich om en gaat naar buiten.

'Wat een heks,' foetert Sven.

'Je moet niet zo stom doen,' sist Tim hem toe. 'Straks mag je helemaal niet meer alleen.'

Sven haalt zijn schouders op. 'Als ik alleen wil dan ga ik gewoon,' zegt hij.

Tim zegt niets meer. Als Sven zo'n bui heeft, valt er niet met hem te praten. Hij gaat naar buiten en doet zijn ski's onder. Ze nemen dezelfde rode afdaling. Zo nu en dan stopt Julia even en laat haar ogen over hun groepje gaan. Ze houdt vooral Sven in de gaten, ziet Tim. Maar Sven doet gelukkig geen rare dingen.

Halverwege rusten ze even uit.

'Het ging hartstikke gaaf!' roept Tim. Hij veegt zijn skibril schoon.

'Ja, spannend met al die sneeuw,' zegt Tara.

Marit knikt. 'Je moet nu echt uitkijken dat je niet verkeerd gaat.'

Ze kijken een poosje naar de mensen die voorbij suizen. Dan vindt Tim dat ze lang genoeg hebben gerust. Hij wil verder. Als ze opschieten kunnen ze nog twee keer.

'Gaan we?' roept hij.

Als hij beneden meteen weer het dalstation in wil lopen, houdt Julia hem tegen.

'Ik denk dat het niet verstandig is om nog een keer naar boven te gaan,' zegt ze.

'Waarom niet,' roept Tim teleurgesteld.

'Vanwege het weer.'

'Aààh,' zegt Marit.

'Het ging net zo lekker,' roept Tara.

'Deze afdaling was juist hartstikke cool,' zegt Tim.

'We kunnen heus nog wel een keer,' dringt Sven aan.

Maar Julia schudt haar hoofd. 'Het sneeuwt nu veel te hard.'

Tim kijkt op zijn horloge. 'Het is pas vijf voor half vier,' zegt hij. 'Onze ouders komen ons pas om half vijf ophalen. Wat moeten we al die tijd doen?'

Sven knikt. 'Naar ons chalet lopen is veel te ver. En naar het restaurant kunnen we ook niet, want ons geld is op. Dus waar moeten we heen? Als we hier blijven wachten, bevriezen we.'

Julia kijkt hen weifelend aan. Dan geeft ze toe. 'Nou vooruit dan, nog één keer.'

'Yes!' zegt Tim. De anderen juichen.

Een barre tocht

Als hun gondel het dalstation verlaat, is het of ze in een andere wereld terechtkomen. Grote sneeuwvlokken wervelen langs de ramen. Van de piste onder hen is al gauw niets meer te zien. Alleen komen er zo nu en dan een paar boomtoppen voorbij. De takken buigen diep door onder de sneeuw. Tara en Marit drukken hun neus opgewonden tegen het raam. Julia kijkt zorgelijk, ziet Tim.

'Nemen we weer de rode afdaling?' vraagt hij.

Julia schudt haar hoofd. 'Nee, met dit weer neem ik liever de blauwe.'

'Die we vanmorgen hebben gedaan?'

'Ja.' Julia kijkt weer naar buiten. De frons tussen haar wenkbrauwen wordt dieper.

Tim voelt hoe de gondel licht heen en weer slingert. Naarmate ze hoger komen, wordt het slingeren erger. Vlak voordat ze het bergstation binnengaan, is er een windvlaag die de gondel onverwacht opzij drukt. Met een klap slaat hij tegen de ijzeren rail aan. Tara grijpt zich vast aan Julia. Marit geeft een gil. Dan hobbelen ze naar binnen. Ze stappen uit.

'Kleed jullie goed aan,' zegt Julia. 'Met die wind komt de sneeuw door elke opening naar binnen.' Ze helpt Tara met haar sjaal en muts en trekt Svens rits tot onder zijn kin dicht.

'Zo kunnen we er wel tegen.' Terwijl ze door de schuif-deuren naar buiten stapt, blaast een windvlaag een wolk sneeuw naar binnen.

Tim trekt zijn sjaal omhoog en zet hem vast met zijn ski-bril. Dan volgt hij Julia. Buiten is het of de wind dwars door zijn kleren heen blaast. Bezorgd kijkt hij om naar Tara, maar die lacht opgewekt naar hem.

Even later skiet Tim achter Julia aan op weg naar de blauwe afdaling. Als ze uit de luwte van het dalstation komen, stort de wind zich met volle hevigheid op hen. Ze skiën door tot waar de blauwe piste begint. Daar stopt Julia plotseling.

'We gaan terug,' roept ze.

'Zijn we dan verkeerd?' vraagt Marit.

'Nee, we gaan terug naar het bergstation.' Julia keert zich om op haar ski's. 'Ik vind het niet verantwoord om verder te gaan.'

'Kom nou,' protesteert Sven, 'we laten ons toch niet kisten door een beetje wind?'

'Nu even geen tegenspraak, Sven,' bijt Julia hem toe. 'Ik ben wel verantwoordelijk voor jullie. We gaan gewoon met de kabelbaan terug.'

'Hoe wou je dat doen?' roept Tim. 'We kunnen toch niet dat hele eind terug de piste op lopen?'

'Het is niet zo ver,' roept Julia terug. 'Kom, omkeren!'

Sven moppert. Maar ook hij gaat mee terug.

Vanuit de sneeuwjacht duikt opeens een groepje skiërs op. De laatste houdt even in.

'Teruggaan heeft geen zin,' roept de man hen toe. 'De kabelbaan gaat niet meer. Teveel wind! Jullie zullen skiënd naar beneden moeten! Het beste kunnen jullie via de...' Zijn laatste woorden verwaaien in de wind. Hij verdwijnt in de sneeuwjacht.

Julia kijkt hem verslagen na.

'En nu?' vraagt Tim.

'De blauwe piste af,' antwoordt Julia. 'Er zit niets anders op.' Ze gebaart dat iedereen om haar heen moet komen staan.

'Tara, jij skiet achter mij.' Haar stem duldt geen tegenspraak. 'Daarachter komt Marit, dan Tim en Sven sluit de rij.
We blijven vlak achter elkaar. Iedereen zorgt ervoor dat hij
zijn voorganger niet uit het oog verliest. Als dat toch
gebeurt, roep je me meteen. Is dat duidelijk?'
Ze knikken allemaal.

'Dit wordt een barre tocht,' bromt Sven met een graf-stem.

'Sven, hou op!' Julia kijkt hem nijdig aan. 'Je maakt de anderen bang.'

'Het was maar een grapje,' zegt Sven verongelijkt.

In een rijtje skiën ze even later achter Julia aan. Tim zorgt ervoor dat hij vlak achter Marit blijft. Tara ziet hij als een schim voor Marit skiën en Julia kan hij alleen zien als de sneeuw even wat minder dicht is.

Ze vorderen maar langzaam. Julia staat telkens stil om te kijken of ze wel goed gaan. Dan skiet ze weer verder. Na een poosje komen ze een besneeuwd bord tegen. Julia veegt de sneeuw eraf.

'We zitten goed!' roept ze naar de anderen. 'Dit is inder-daad de blauwe piste, afdaling vierenzestig. Nu komt dat brede lange stuk. Weten jullie nog?' Ze wacht niet op een antwoord. 'We gaan met een paar grote bochten naar bene-den. Onder aan de helling stoppen we weer.'

Ze gaan verder. Tim is ongerust. Het is of het weer met de minuut slechter wordt. De sneeuw stuift bijna horizontaal over de brede piste.

Plotseling krijgt de wind zijn sjaal te pakken. Hij schiet aan één kant los en de sneeuw snijdt in zijn gezicht. Hij pro-beert de sjaal terug te stoppen, maar het lukt niet. Terwijl hij daarmee bezig is, valt hij bijna over een sneeuwhoop die hij niet heeft gezien. Hij kan nog net overeind blijven.

'Ik zie de piste niet meer,' roept hij naar Marit.

'Ik ook niet,' roept ze terug.

Julia stopt. Ze botsen bijna tegen haar op.

'Gaat het nog?' vraagt ze.

'Jawel,' antwoordt Tim. 'Ik viel alleen bijna.'

'Bijna is niet helemaal.' Julia lacht, maar haar ogen doen niet mee. Ze helpt Tim met zijn sjaal. Dan gaan ze weer door.

Eindelijk bereiken ze het eind van de helling. Julia stopt en draait zich half naar hen om.

'We gaan nu over die smalle piste naar de Holtzberg. Het is maar een kort stukje, maar de wind heeft daar vrij spel. Dus we krijgen waarschijnlijk de volle laag.' Ze moet bijna schreeuwen om zich verstaanbaar te maken. 'Maar we moeten erlangs. Een andere weg is er niet. Blijf daarom vlak achter me. Doe je best.' Ze steekt allebei haar duimen omhoog. Dan skiet ze weg.

Tim skiet zo dicht achter Marit dat zijn ski's bijna de achterkanten van die van haar raken. Door het dal rechts van hem komt de wind aangegierd. Schuin tegen de wind in hangend, worstelt hij zich voort. Opeens voelt hij hoe een windvlaag hem zowat uit zijn schoenen blaast. Tegelijkertijd hoort hij een gil. Voor hem ligt een donkere schim op de grond. Hij kan niet meer stoppen en valt eroverheen. Het is Marit.

Sven kan hen nog net ontwijken.

'Wat gebeurde er?' vraagt hij geschrokken.

Marit giechelt nerveus. 'Ik ben gewoon omgewaaid,' zegt ze.

Julia trekt hen overeind. Tim kijkt om zich heen.

'Waar is Tara!' roept hij.

Net een huisje

'Tara!' schreeuwt Tim. Er komt geen antwoord. Hij kijkt op naar Julia. 'Ze skiede toch achter jou?'

'Ja, ze was er daarnet nog! Tara!' Julia roept zo hard als ze kan.

Dan beginnen Marit en Sven ook te roepen.

'Tara!'

'Waar ben je!'

'Geef antwoord!'

Het is of hun stemmen niet verder reiken dan een paar meter. Tim bijt op zijn lip. Tara kan toch niet zomaar verdwenen zijn?

'Ze is waarschijnlijk gevallen,' troost Julia hem. 'We zijn haar voorbij geskied zonder dat we...'

'Ik heb aldoor goed opgelet,' onderbreekt Sven haar, 'maar ik heb haar niet gezien.'

Tim rukt de sjaal van zijn gezicht en roept nog eens. Hij luistert, maar alles wat hij hoort is het geraas van de wind. 'Ik ga haar zoeken,' roept hij.

'Dat heeft geen zin.' Julia grijpt zijn arm. 'We moeten bij elkaar blijven. Bovendien weten we niet waar we Tara kwijt zijn geraakt. Het kan een paar meter terug zijn, maar ook...'

'Kijk hier eens!' roept Sven. Hij staat diep voorover gebukt. 'Verse skisporen!' Hij wijst. 'Daar! Ze buigen af naar links. Die rukwind van daarnet heeft Tara opzij geblazen.'

Ze komen er alledrie bij staan. Tim ziet twee skisporen die in het niets lijken te verdwijnen. Ze zijn bedekt met een dun laagje sneeuw, maar ze zijn duidelijk heel kort geleden gemaakt.

'We moeten die sporen volgen!' zegt hij. 'Dan vinden we Tara vanzelf.'

'Nee!' roept Julia. Haar stem slaat over. 'Dit kunnen wij niet. Dit is werk voor de reddingsdienst. Ik ga ze meteen bellen.' Ze pakt haar mobieltje, toetst een nummer in en houdt het tegen haar oor.

'O, nee!' roept ze opeens.

'Wat is er?' vraagt Tim verschrikt.

'De batterij is leeg.' Achter haar skibril staan haar ogen groot van ontzetting. 'Ik heb hem vergeten op te laden.'

'Dus je kunt niet bellen?' roept Sven.

Julia kan alleen haar hoofd schudden.

'En Tara dan?' Tim is radeloos van angst.

'Ik weet het niet.' Er klinken tranen door in Julia's stem.

'Ik wel,' zegt Sven vastberaden. 'Jullie skiën naar beneden en waarschuwen de reddingsdienst. Ik ga Tara zoeken.'

'Sven! Nee!' roept Julia. Maar voordat ze hem tegen kan houden, verdwijnt hij in de sneeuwjacht.

'Sven! Kom terug!' Julia slaat haar handen voor haar gezicht. 'O, God, wat moet ik nou?' jammert ze.

'We kunnen toch achter hem aan gaan?' roept Tim.

'Nee! Dat is veel te gevaarlijk.' Julia pakt hem opnieuw vast.

Tim rukt zich los. 'Wat bedoel je?'

Julia kreunt. 'Het gaat daar veel te steil.'

'Kan jíj niet achter ze aan gaan?' vraagt Marit. 'Jíj kan goed skiën.'

Julia schudt haar hoofd. 'Ik kan júllie hier toch niet alleen laten?'

'En mijn zusje dan!' kermt Tim. 'En Sven!' Zijn skibril beslaat ervan.

'We doen wat Sven zei,' beslist Julia. 'We skiën verder naar het dal en waarschuwen de reddingsdienst.'

'Maar we kunnen Tara en Sven toch niet op de berg achterlaten?' zegt Marit ontdaan.

'We kunnen niet anders, lieverd.' Julia legt een hand op haar schouder. 'We moeten nu alleen zo snel mogelijk naar beneden. Des te eerder kan een reddingsteam naar ze op zoek gaan.'

Tim maakt zijn skibril schoon met een punt van zijn sjaal. Dan gaan ze.

Onderweg stopt Julia telkens om te kijken of ze er nog zijn. Zelfs nu ze nog maar met z'n drieën zijn, is het of ze de berg af krúípen.

'Kunnen we niet wat vlugger?' roept Tim, als Julia voorzichtig aan een volgend bochtje begint. Ze kijkt om. Op hetzelfde moment ziet Tim hoe haar rechterski onder haar vandaan schiet. Met een schreeuw valt ze voorover. Marit is als eerste bij haar.

'Heb je je pijn gedaan?' vraagt ze.

Julia geeft geen antwoord. Terwijl ze met haar beide handen haar rechterknie omklemt, gaat ze zitten.

'Je hebt toch niets gebroken?' vraagt Tim angstig.

'Ik hoop het niet. Maar er is wel iets met mijn knie.' Voorzichtig probeert Julia overeind te krabbelen, maar het lukt niet.

'Kun jij mijn ski uitdoen, Tim?' vraagt ze. Met moeite krijgt hij de binding los. Voorzichtig beweegt Julia haar been.

'Ik geloof niet dat er iets gebroken is,' zegt ze, 'maar het doet vreselijk pijn.'

'Hoe komen we nu naar beneden?' vraagt Marit met een geknepen stem.

'Maak je maar niet ongerust,' antwoordt Julia. 'Als de pijn gezakt is, gaat het wel weer.'

Tim en Marit wachten terwijl Julia haar knie masseert.

'Ik krijg het koud,' zegt Marit.

Julia knikt. 'We moeten beschutting zoeken.' Ze wijst naar de bosrand, die zo nu en dan zichtbaar is als de sneeuw

even minder wordt. Op één been staat ze op. Haar rechter-
been houdt ze een beetje omhoog.

'Kan jij mijn ski dragen, Tim?' vraagt ze.

Het duurt lang voordat Julia op één ski de bosrand heeft
bereikt. En nog langer voordat ze echt in het bos zijn. Onder
een grote spar ontdekt Marit een beschut plekje. De takken
groeien breeduit. De sneeuw die ervanaf is gegleden, heeft
een soort muurtje rondom de boom gevormd. Marit werkt
zich er als eerste doorheen.

'Jullie moeten hier ook komen,' roept ze. 'Het is net een
huisje.'

Tara mag niet slapen!

In hun schuilplaats onder de boomtakken is van de harde wind weinig meer te voelen. Ook de sneeuw dringt hier nauwelijks door. Als Tara niet was verdwenen, zou Tim het een geweldig plekje hebben gevonden. Hij kijkt naar Julia, die met haar rug tegen de stam zit. Haar gezicht is van pijn vertrokken. Kan ze straks wel verder? En als dat niet zo is, moet hij dan in zijn eentje hulp gaan halen? Zou hij de weg naar het dal weten te vinden?

Marit breekt wat verse takken af en legt ze op de grond. 'Hier kunnen we op zitten,' zegt ze, 'dan krijgen we het niet zo koud.'

Julia probeert te glimlachen, ziet Tim. Ze maakt zich grote zorgen, begrijpt hij.

'Het is hier net een tent,' gaat Marit verder. 'Nu nog een kampvuur, dan is het helemaal echt.'

Julia voelt in haar zak en haalt een aansteker te voorschijn. Ze klikt hem aan. Het kleine vlammetje flakkert even en waait dan weer uit.

Vuur! Tim veert op. 'We moeten een vuur maken!' roept hij. 'Als ze beneden de rook zien, weten ze waar we zitten en dan komen ze ons redden!'

'We kunnen het proberen,' zegt Julia. Tim hoort aan haar stem dat ze er niet in gelooft.

Marit kijkt omhoog. 'Kan een vuur wel met die takken erboven?' vraagt ze.

Tim kijkt ook. 'Die zitten hoog genoeg,' zegt hij. 'We moeten alleen die dode takken onderaan wegbreken.' Hij gaat meteen aan de slag. Het breken van het dode hout klinkt luid boven het geraas van de wind uit. Marit gooit de takken op een stapel.

'Zo brandt het niet,' zegt Tim. 'Je moet met dunne takjes beginnen.'

Als Marit geen antwoord geeft, gaat hij verder. 'Afgelopen zomer heb ik samen met mijn vader vuurtjes gestookt op het strand. Dus ik weet hoe moet.'

'Doe jij het dan maar,' zegt Marit snibbig.

'Help jij me dan?' vraagt hij. Ze moeten nu geen ruzie krijgen!

Even later staat er een kleine piramide. Dunne, droge takjes onderop en daarna steeds dikkere takken. Tim houdt Julia's aansteker eronder. Het duurt lang voordat het hout vlam vat. Maar plotseling beginnen de dunste takjes te knetteren. Even later gaat zelfs het natte hout sissend branden. Ze hebben vuur!

Tussen de takken van de spar kringelen dikke rookwolken omhoog. Ze waaien weg op de wind. Tim kijkt ze na. Zouden ze de rook in het dal kunnen zien? Zouden ze beneden bedenken dat het van hen komt?

'Waar zouden Sven en Tara nu zijn?' vraagt Marit opeens.

'Ik weet het niet,' antwoordt hij. 'Ik hoop dat Sven mijn zusje heeft gevonden en dat ze samen naar beneden zijn geskied.'

'Of dat ze ergens een schuilplaats hebben gevonden, net als wij,' zegt Marit.

'Ik wou dat ik naar ze toe kon,' zegt Julia. 'Al kon ik ze maar op een of andere manier bereiken.'

Tim veert overeind. 'Dat ik daar niet eerder aan heb gedacht!' roept hij. 'Mijn walkietalkie!' Hij is zo opgewonden dat hij de rits van zijn jack bijna niet open krijgt.

Eindelijk heeft hij het toestel te pakken. Hij drukt de oproepknop in en houdt het toestel tegen zijn oor. Even is er een licht gekraak, dan hoort hij de stem van Sven: 'Tim? Ben jij dat?'

Tim drukt de spreektoets in. 'Ja!' Hij schreeuwt bijna. 'Hoe is het met je? En waar is Tara? Over.'

'Tara is hier bij me,' antwoordt Sven. 'Ze mankeert niets. Wat goed dat je aan dit ding dacht, ik was het helemaal vergeten. Maar waar zijn jullie? Over.'

Tim kan wel huilen van blijdschap. Het is goed met Tara! Hij vertelt dat Julia haar knie heeft verdraaid en dat ze nu onder een spar zitten totdat ze verder kan.

Sven wil weten of dat nog lang kan duren.

'Ik weet het niet,' antwoordt Tim. Hij durft het Julia niet te vragen. 'We hebben een vuur gemaakt,' zegt hij daarom maar. 'Kun je onze rookwolken zien? Over.'

Het blijft even stil, op wat gekraak na. 'Nee,' antwoordt Sven dan. 'Over.'

Julia schuift wat dichter naar Tim toe en luistert mee.

'Waar zit je precies?' vraagt Tim. 'Over.'

'Onder aan een steile rotswand,' klinkt de stem van Sven. 'Ik ben naar beneden gevallen op dezelfde plek als Tara. Gelukkig niet boven op haar.' Hij lacht kort. 'Het had rotter kunnen aflopen. Over.'

'Hoezo? Ben je gewond? Over.'

'Ik viel in een dikke laag sneeuw, maar er zat een rots onder. Daar ben ik met mijn schouder op terechtgekomen. Doet best pijn.'

Julia pakt de walkietalkie uit Tims handen. 'Is er iets gebroken, denk je?' vraagt ze.

Het duurt even voordat het antwoord van Sven komt. 'Ik weet het niet. Maar ik kan mijn arm zowat niet bewegen van de pijn.'

'Je moet "over" zeggen als je klaar bent met spreken,' fluistert Tim.

Julia knikt. 'Zien jullie kans om naar beneden te lopen?' vraagt ze. 'Over,' zegt ze er vlug achteraan.

'Nee, dat gaat niet,' antwoordt Sven. 'We zitten op een richel. Vlak voor ons gaat het weer steil naar beneden. Bovendien is er geen zicht. Het sneeuwt en waait hier keihard. Over.'

'Dan zullen jullie het wel koud hebben. Over.'

'Gaat wel. We hebben een soort hol in de sneeuw uitgegraven. Daar zitten we nu in.'

'Ik heb een koude kont,' hoort Tim zijn zusje opeens zeggen.

Er springen tranen in zijn ogen, zo blij is hij dat hij Tara's stem hoort.

'Zitten jullie rechtstreeks op de sneeuw?' vraagt Julia. 'Over.'

'Ja. Niet op onze blote billen natuurlijk. We hebben wel onze skibroek aan. Over.'

Met een grapje probeert Sven de moed erin te houden, begrijpt Tim. Hij kan er niet om lachen.

'Dat vraag ik omdat je beter op je ski's kunt gaan zitten,'

legt Julia uit. 'Dan krijg je het niet zo koud. Het scheelt in elk geval een beetje. Over.'

'Dat is een goed idee.' Het blijft even stil. 'Ik zet het toestel nu uit,' gaat Sven verder. 'Zo spaar ik de batterij een beetje. Ik piep jullie zo wel weer op. Over en sluiten maar.'

Julia geeft de walkietalkie aan Tim terug.

Het duurt lang voordat ze weer iets horen. Tim stelt zich voor hoe ze daar bezig zijn. Tara die de ski's het hol in schuift en Sven die ze naast elkaar legt. Zou hij erge pijn hebben?

Tim voelt zich schuldig. Sven had op hen gerekend. Zij zouden de reddingsdienst waarschuwen. Hij kijkt naar Julia, die haar broekspijp heeft opgestroopt. Haar knie is dik. Het ziet er niet naar uit dat ze snel naar beneden kunnen. Voor hen is dat niet zo erg. Ze zitten bij een lekker warm vuurtje. Maar Tara en Sven zitten in de kou. Hoe lang houden ze het daar nog vol? Tim wil er niet aan denken.

Dan piept zijn walkietalkie. 'Ja, over,' zegt hij.

'Daar ben ik weer,' zegt Sven. 'We zitten nu op onze ski's. Ook hebben we het hol wat dieper gemaakt. Door het graven hebben we het gelukkig wel wat warmer gekregen. Maar hoe lang dat zal duren...' Het blijft even stil. 'Over,' klinkt het dan.

'Tara?' vraagt Tim. 'Hoe gaat het? Over.'

Uit het toestel komt gegrinnik van Sven.

'Ze ligt tegen me aan. Ze slaapt bijna.' Sven praat zachtjes. 'Over.'

Plotseling rukt Julia het toestel uit Tims handen. 'Tara mag niet slapen!' roept ze paniekerig. 'Houd haar wakker! Als ze gaat slapen, kan ze doodvriezen! En dat geldt ook voor jou. Probeer in beweging te blijven. Over.'

Er klinkt gekraak. 'Oké,' hoort Tim Sven nog zeggen en dan valt zijn stem weg.

'Geef hier,' zegt Tim. Hij drukt op de oproepknop. 'Hallo, Sven, ben je daar?'

Er komt geen antwoord.

Tim probeert het nog een paar keer. Het toestel is zo dood als een pier. Dan ziet Tim het: de batterij is leeg.

Een b...b...beer?

Ze zitten er verslagen bij. Tim voelt de tranen achter zijn ogen prikken. Maar hij wil niet huilen. In elk geval niet waar Marit bij is.

'Kunnen we ze niet hierheen halen?' zegt hij. 'Ze kunnen nooit ver zijn. Hier bij het vuur is het niet zo koud.'

Julia tuurt in de vlammen.

'Ik wou dat ik wist hoe,' zegt ze. 'Ik weet ongeveer waar ze zitten, maar het is daar heel steil. Ik kom er niet naar boven. Zeker niet met die knie van mij.'

Tim staat op. Hij kruipt de schuilplaats uit en loopt heen en weer door de sneeuw. Hij móét iets doen. Hij wil aan iets anders denken dan aan Tara en Sven. Nu het donker wordt, kan niemand de rookwolken meer zien. Maar misschien juist wel het vuur.

'Zullen we nog wat hout zoeken?' vraagt hij aan Marit. 'We hebben niet zoveel meer.'

Als ze met hun armen vol takken terugkomen, is Julia bezig haar sjaal strak om haar knie te wikkelen.

'Wat ben je van plan?' vraagt Tim.

'Ik ga hulp halen.'

'Alleen?'

'Ja.'

'En wij dan?'

'Jullie blijven hier en houden het vuur brandend.'

Julia knoopt de sjaal vast en hijst zich aan een tak over-eind. Maar als ze op haar been gaat staan, zakt ze er met een kreet van pijn doorheen.

'Het gaat niet.' Ze snikt het opeens uit. 'Hoe moet het nu verder? Het is allemaal mijn schuld. Ik had in dat weer niet met jullie naar boven mogen gaan. Ik had...'

Marit slaat haar armen om Julia heen.

'Huil nou maar niet,' zegt ze. 'Mijn vader zou ons om half vijf bij het dalstation op komen halen en het is nu...' ze kijkt op haar horloge, '...kwart over zes. Hij heeft al lang de red-dingsdienst gewaarschuwd. Ik weet zeker dat ze ons nu aan het zoeken zijn.'

'Maar ze hebben geen idee waar we zitten.' Julia's stem klinkt wanhopig.

Tim weet het ook niet meer. Om zijn tranen te verbergen, gooit hij nog een paar takken op het vuur.

Ineens voelt hij een arm om zijn schouder.

'Stil maar,' fluistert Marit. Hij voelt haar warme adem tegen zijn oor. 'Het komt wel goed.'

Tim wrijft zijn ogen droog.

'Ik huil niet, hoor,' zegt hij een beetje nors. 'Mijn ogen tra-nen van de rook. Die waaide daarnet precies mijn kant op.'

Marit zegt niets.

Tim staart beschaamd naar zijn skischoenen. Waarom zei hij dat nou? Tegen Marit hoeft hij toch niet te liegen?

Hij probeert aan iets anders te denken. Marit zei dat het kwart over zes was. Hoe lang zitten ze hier dan al? Om half-vier gingen ze naar boven. Tim rekent even: ruim twee uur.

Plotseling moet hij aan Senne denken. Die zit nu al meer dan vierenhalf uur alleen. Ze zal wel nodig moeten. Hij hoopt dat zijn ouders eraan denken haar uit te laten.

Om zijn zorgen te vergeten, gooit hij nog maar een paar takken op het vuur. Het natte hout knettert geruststellend. De warmte maakt Tim slaperig. Julia's ogen zakken aldoor dicht, ziet hij, en ook Marit zit te knikkebollen.

Onverwachts klinkt er vlakbij een hevig gekraak. Tim is meteen klaarwakker. Hij ziet een grote tak naar beneden komen. In zijn val neemt hij een wolk sneeuw mee.

'Wa...wat was dat?' vraagt Julia geschrokken.

'Een tak die afbrak,' antwoordt Tim.

Julia glimlacht een beetje beschaamd. Ze gaat wat meer rechtop zitten. Marit stookt het vuur nog wat hoger op. Zwijgend turen ze alledrie naar het flakkerende licht van de vlammen.

Luisterend kijkt Marit opeens op.

'Ik dacht dat ik iemand hoorde roepen,' fluistert ze. Ze staat op. Tim staat ook op. Maar hij hoort alleen het naargeestige gehuil van de wind door de boomtoppen.

Hij kruipt uit hun schuilplaats. Het is inmiddels pikkedonker geworden en nog kouder dan daarstraks.

'Hallo!' schreeuwt hij. 'Is daar iemand?'

Er komt geen antwoord. Marit komt naast hem staan. Ze maken een toeter van hun handen en roepen tot ze er schor van worden. Ze luisteren telkens gespannen. Ten slotte geven ze het op.

'Ik hoorde echt iets,' zegt Marit als ze weer onder de boom zitten. Haar stem trilt.

'Het zal de wind wel zijn geweest.' Tim slaat een arm om haar heen. 'Ze vinden ons heus wel.'

Terwijl ze daar zo zitten, doorstroomt hem een warm gevoel. Marit is het liefste meisje dat hij kent. Als ze gered worden, zegt hij het haar. Áls ze gered worden... Ze wachten nu al zo lang. Tim kijkt op zijn horloge. Vijf over half zeven. De minuten lijken voorbij te kruipen.

Ergens lager op de helling knapt een tak.

'Hoorden jullie dat ook?' fluistert Marit.

Tim knikt. Hij luistert tot het uiterste gespannen. Weer kraakt er iets. Dichterbij nu.

'Een b...b...beer,' stottert Marit.

'Die zitten hier niet,' stelt Julia haar gerust.

Dan horen ze gehijg, als van een dier dat zich door de diepe sneeuw moet worstelen. Marit begint zacht te jammeren.

'Een w...w...wolf dan,' stamelt ze.

Op dat moment springt er iets de lichtcirkel binnen. Het is wit met bruin en zwart, en heel groot.

'Senne!' roept Tim. De hond stort zich met zoveel kracht boven op hem dat hij omrolt. Ze likt Tim in zijn gezicht en ook Marit en Julia krijgen een paar likken. Tim krabbelt overeind en slaat zijn armen om Senne heen. Tranen van blijdschap vermengen zich met de sneeuw op haar vacht.

'Hoe heb je ons kunnen vinden? Ben je helemaal alleen hierheen gekomen?' Opeens houdt hij zijn adem in. Marit had immers iemand horen roepen! Tim springt hun schuilplaats uit, gevolgd door Senne.

'Papa!' roept hij. 'Pap, we zijn hier!'

Marit komt naast hem staan. Opnieuw roepen ze zo hard als ze kunnen. Maar er komt geen antwoord. Teleurgesteld kruipen ze terug in hun schuilplaats.

Senne loopt onrustig heen en weer. Snuivend steekt ze telkens haar neus in de lucht.

Tim aait haar. 'Je zoekt Tara, hè?'

Senne zwaait met haar staart en gaat voor Tim op de grond zitten.

'Tara is bij Sven,' zegt hij. 'Ze is gevallen. Ze is daarboven ergens.' Hij wijst. 'In een sneeuwhol.'

Senne luistert met haar kop scheef.

'Het lijkt wel of hij het begrijpt,' zegt Julia.

'Dat is ook zo,' zegt Tim trots. 'Senne begrijpt alles. Hè, Senne?'

De hond blaft.

'Kun je Senne ook opdragen om je vader te halen?' vraagt Julia.

'Ik denk het wel,' antwoordt Tim. 'Senne, ga papa halen!' Hij wijst in de richting van het dal.

Senne kijkt hem vragend aan. Daarom herhaalt Tim de opdracht. Onrustig loopt Senne heen en weer.

'Ik denk dat ze het niet begrijpt,' zegt Julia.

'Jawel, hoor,' zegt Tim. 'Als we in de duinen gaan wandelen doen we vaak allerlei spelletjes. Mijn vader blijft soms een heel eind achter en dan moet Senne hem halen. Tara verstopt zich meestal. En dan roep ik: "Zoek Tara," en dan...'

Plotseling springt Senne over de sneeuwwal. Een paar seconden later is ze in de duisternis verdwenen.

'Zie je wel,' zegt Tim. 'Ze snapt het heus wel. Alleen duurt het soms even.' Gespannen luistert hij of hij Senne nog kan horen. Maar de wind overstemt alles.

'Ik hoop niet dat ze verdwaalt,' zegt hij ongerust.

'Daar hoef je niet bang voor te zijn,' zegt Julia. 'Ze heeft ons toch ook gevonden? Honden hebben een uitstekende neus. En de weg terug is een stuk makkelijker voor haar. Ze hoeft alleen maar haar eigen spoor te volgen.'

Tim knikt. Julia zal wel gelijk hebben.

Waar is Senne?

'Hoe lang zou Senne erover doen om beneden te komen?' vraagt Tim aan Julia.

'Als ze doorloopt een half uurtje. Naar beneden gaat veel vlugger dan naar boven.'

'En hoe lang duurt het dan nog voordat de reddings-dienst hier boven is?'

'Reken maar op een paar uur.'

'Zo lang nog?' Tim denkt aan Tara en Sven, die in dat koude sneeuwhol zitten. 'Maar als Senne beneden is, gaat ze natuurlijk meteen naar mijn vader. Samen kunnen ze dan de mannen van de reddingsdienst naar ons toe brengen.'

'Als je vader Senne begrijpt wel.' Julia zucht. 'Maar áls ze weten waar we zitten dan gaat het snel,' spreekt Julia haastig verder. 'Dan komen ze met een snowcat en dan zijn we zo beneden.'

Tims hart maakt een sprongetje.

'Worden we met een snowcat opgehaald? Zo'n grote sneeuwschuiver op rupsbanden?'

Maar meteen verdwijnt zijn opwinding. Wat als pap niet begrijpt wat Senne wil zeggen? En wat als ze deze plek niet meer kan vinden? Straks zitten ze hier de hele nacht. Tara houdt dat nooit vol. Die heeft het toch al zo gauw koud. Zelf zit hij bij een lekker warm vuurtje. Weliswaar bevriest hij van achteren bijna, maar toch...

Somber tuurt Tim voor zich uit. Wie weet hoe lang het nog duurt tot de reddingsdienst bij hen is. En dan moeten ze Tara en Sven nog zoeken... Achter hem valt met een plof een vracht sneeuw van de takken. Hij schrikt er niet eens meer van.

Hij gooit nog een paar takken op het vuur. Het laait hoog op.

'Pas op dat de boom geen vlam vat,' zegt Julia.

'Misschien moeten we hem juist in de fik steken,' moppert Tim. 'Dan weten ze tenminste waar we zitten.'

'Maar dan hebben we geen schuilplaats meer,' werpt Marit tegen.

'Die hebben we dan niet meer no...'

Op dat moment hoort Tim boven het lawaai van de storm uit een vreemd ratelen. Het duurt even voordat het tot hem doordringt. Plotseling weet hij wat het is.

'Daar heb je ze!' gilt hij. 'Daar is de snowcat! Ze komen ons redden!' Hij springt overeind en klautert over de sneeuwwal. Wadend door de diepe sneeuw baant hij zich een weg door het bos.

'We zijn hier!' schreeuwt hij. Hijgend bereikt hij de rand van de piste. Hij ziet nog net hoe de lichten van de snowcat in de sneeuwjacht verdwijnen. Wild zwaait hij met zijn armen, maar het heeft geen zin meer. Dan is Marit er opeens ook.

'We moeten erachteraan,' roept ze.

'Nee!' Tim grijpt haar arm. 'We kunnen de snowcat toch niet inhalen. Stel je voor dat we de weg kwijtraken...'

'Maar we kunnen ze toch niet gewoon weg laten gaan?' Er klinken tranen door in Marits stem.

'Ze komen straks heus wel weer langs,' zegt Tim troostend, al gelooft hij het zelf niet. Hij trekt haar in de luwte van een hoop sneeuw. Daar wachten ze, dicht tegen elkaar aan gedrukt.

Tim luistert met gespitste oren. Zien kan hij niets. De wind jaagt de sneeuw horizontaal over de piste. Langzaam begint de kou zijn kleren binnen te kruipen. Eigenlijk heeft het geen zin om te blijven wachten. De snowcat komt toch niet terug. Maar hij wil de hoop niet opgeven. Hij voelt hoe Marit rilt.

Hoe lang staan ze hier nu al? Zelf is hij koud tot in zijn botten. Hij denkt aan Julia die lekker bij het warme vuur zit. Net wil hij voorstellen om maar terug te gaan, als hij weer het ratelende geluid hoort.

'Daar heb je hem weer!' gilt hij. Op de voet gevolgd door Marit rent hij de piste op. Ineens staan ze in het felle licht van de koplampen. Als in een droom ziet Tim twee mannen uitstappen.

'*Wo sind die andere Kinder?*' vraagt een van hen.

'Sven en Marit?' vraagt Tim.

De man knikt.

Tim maakt een gebaar dat hij het niet weet. 'Maar Julia weet het wel.' Hij wijst naar het bos. Als in een droom loopt hij naar hun schuilplaats onder de sparrenboom.

Daar hurken de twee mannen bij Julia. Terwijl de een haar knie onderzoekt, begint de ander tegen haar te praten. Julia antwoordt in dezelfde taal. Tim verstaat er geen woord van. Alleen hoort hij zo nu en dan de namen van Tara en Sven vallen. Hij wil Julia vragen wat ze zeggen, maar hij krijgt de kans niet. Een van de mannen tilt haar op en loopt met haar naar de snowcat. De andere man dooft het vuur door er paar kluiten sneeuw op te gooien. Dan wenkt hij.

'Komme mit.'

Ze lopen achter hem aan. Even later helpt hij hen de hoge cabine van de snowcat in. Julia ligt op een brancard achterin. Dan begint de motor te grommen. De snowcat rijdt een stukje achteruit en draait in de richting van het dal.

'Gaan we Tara en Sven niet ophalen?' roept Tim.

'Nee,' antwoordt Julia vanaf de brancard. 'Ze hebben een andere snowcat opgeroepen en die is nu naar ze onderweg.'

'Weten ze dan wel waar ze zitten?'

'Ja, ik heb het ze uitgelegd. Maak je maar geen zorgen.'

Plotseling denkt Tim weer aan Senne. Hij draait zich om naar Julia.

'Vraag eens hoe ze ons gevonden hebben?'

Julia richt zich een beetje op en stelt haar vraag in het Duits.

'Zufall,' antwoordt de bestuurder. *'Reiner Zufall.'*

Tim begrijpt het meteen. Toeval. Dus Senne heeft ze niet

de weg gewezen. Weer draait hij zich naar Julia om.

'Vraag eens of ze Senne hebben gezien,' zegt hij. 'Het is een Berner sennenhond.'

De man moet even nadenken. Dan schudt hij zijn hoofd. '*Ein Sennenhund? Nein, nicht gesehen.*'

'Ze hebben haar niet gezien,' vertaalt Julia.

Tim krijgt het er benauwd van. Senne is niet beneden aangekomen, anders hadden de mannen het wel geweten. Er moet iets met haar zijn gebeurd. Straks is ze net als Sven en Tara in een afgrond gestort. Straks ligt ze ergens met een gebroken poot, of nog erger...

Sie sind gefunden!

De snowcat kruipt de berg af. De sneeuwvlokken stuiven in een wilde warreling om de cabine. Ze plakken tegen de ramen. De ruitenwissers kunnen het nauwelijks aan. Buiten kaatst het licht van de twee schijnwerpers terug op de kolkende sneeuwmassa. Daardoor is het zicht niet meer dan een paar meter.

Tim ziet hoe de mannen moeite hebben om hun weg te vinden. Ze turen gespannen naar buiten en overleggen telkens met elkaar.

Als hij niet zo over Senne in had gezeten, zou hij de tocht best spannend hebben gevonden. Maar hij moet aldoor aan haar denken. Hoe kon ze naar hen toe komen? Ze kon het huis toch niet uit? Misschien is ze ontsnapt toen ze werd uitgelaten. Maar hoe kwam ze er dan bij om naar hen op zoek te gaan? Ze kon toch niet weten dat er iets gebeurd was?

Tim zucht. Hij kijkt naar buiten, maar alles wat hij ziet is sneeuw. Waar zou Senne nu zijn? Misschien is ze teruggegaan naar het chalet, probeert hij zichzelf gerust te stellen. Misschien zit ze gewoon voor de deur te wachten totdat ze thuiskomen.

Opeens ziet hij uit de sneeuwjacht een gebouw opduiken. Het is de achterkant van het dalstation. Uit een zijdeur komt een groepje mensen naar buiten. Tim springt overeind. Hij stoot zijn hoofd aan het dak van de snowcat, maar hij voelt het nauwelijks.

'Mam! Pap!' roept hij. De deur van de cabine wordt van buitenaf opengedaan door een man in een rood skipak. Tim negeert zijn uitgestoken hand. Hij stap op de rupsband en springt rechtstreeks in de armen van zijn moeder.

'Tim, lieverd, daar ben je eindelijk!' roept ze. Tranen van blijdschap lopen over haar wangen. Tims vader staat er een beetje verloren bij.

Tim ziet dat hij gehuild heeft. Daarom slaat hij een arm om zijn vaders hals.

'Godzijdank, jij bent tenminste ongedeerd,' hoort Tim hem zeggen.

'Ze zullen Tara en Sven nu ook wel hebben gevonden,' zegt hij opbeurend.

Tims vader zucht diep. 'Als ze maar op tijd zijn...'

Ontzet kijkt Tim van zijn vader naar zijn moeder. 'Maar er was een snowcat naar Tara en Sven onderweg,' roept hij. 'Die moet er nu toch al lang zijn?'

Zijn vader knikt somber. 'Dat dachten wij ook, maar er is nog steeds geen bericht dat ze gevonden zijn.'

Tim wil weten of pap iets over Senne heeft gehoord, maar hij durft er niet over te beginnen. Op dat moment ziet hij hoe de brancard de snowcat uit wordt getild.

'Ik ga even naar Julia toe, hoor,' zegt hij. Hij maakt zich los uit zijn moeders armen. Hij wil ineens weg. Niet denken aan wat er met zijn zusje is gebeurd. Niet denken aan Senne.

'Hoe gaat het met je knie?' vraagt hij als hij naast de brancard staat.

'Gaat wel,' antwoordt Julia. 'Ik moet naar het ziekenhuis. De ambulance zal hier zo wel zijn.' Ze heeft het nog niet gezegd, of een blauw zwaailicht duikt op uit de sneeuwjacht. Hij stopt naast de snowcat.

'Tim! We gaan naar binnen!' hoort hij zijn vader roepen.

'Ik kom zo,' roept hij terug. Hij wacht totdat Julia de ambulance in wordt geschoven.

'Het beste met je knie,' zegt hij en voordat de deuren zich sluiten: 'Ik kom je wel opzoeken.' Dan haast Tim zich naar binnen. Iedereen zit in een kantoortje van het dalstation. Terwijl hij naast zijn moeder gaat zitten, komt er een vrouw binnen met een blad vol dampende mokken erop.

'*Heißer Kaffee*,' roept ze. Tim krijgt ook een mok voor zijn neus gezet. Hij houdt niet van koffie. Hij slaat zijn handen om de mok heen om ze op te warmen. Marit doet hetzelfde, ziet hij.

'Ik dacht dat de kinderen veilig waren bij die Julia,' hoort Tim zijn vader opeens zeggen. 'Ik begrijp die meid niet. Wie gaat er nu met dit weer skiën met vier jonge kinderen?'

'Het is Julia's schuld niet,' verdedigt Tim haar. 'Zij vond het weer te slecht worden. Zij wilde dat we op jullie zouden wachten. Maar het was nog niet eens halfvier. Wij hebben haar toen overgehaald om nog één afdaling te maken.'

Marit valt hem bij. 'Maar toen we boven waren, werd het weer plotseling veel slechter. Julia wilde terug met de kabelbaan. Maar we hoorden dat die niet meer ging. Toen móésten we wel skiënd naar beneden.'

Tims vader zegt niets meer.

Tim verzamelt al zijn moed en vraagt: 'Pap, is Senne teruggekomen?'

Zijn vader kijkt hem verschrikt aan.

'Hoe weet je dat ze ontsnapt is?'

'Omdat ze bij ons boven op de berg is geweest,' antwoordt Tim.

De mond van zijn vader zakt open. 'Wanneer was dat?' vraagt hij.

'Een uurtje geleden, denk ik. Ik heb gezegd dat ze terug moest gaan om jou te halen.'

'Ik heb haar niet gezien.'

'Dus ze is hier niet geweest...?'

'Nee.'

'Hoe kon je Senne laten ontsnappen!' roept Tim dan verwijtend.

'Ik kon er echt niets aan doen,' zegt zijn vader. 'Toen jullie om halfvijf niet bij het dalstation stonden, ben ik naar het chalet gereden om te kijken of jullie daar misschien waren.

Zodra ik de deur opendeed, rende Senne naar buiten. Ik dacht dat ze nodig moest. Maar toen ik haar riep, kwam ze niet terug. Ik heb nog een hele tijd gezocht, maar door die sneeuw zag ik geen hand voor ogen.' Schuldbewust tuurt hij in zijn koffie.

'Hoe laat was het toen Senne bij jullie kwam?' vraagt hij opeens.

'Halfzeven ongeveer. Het was al donker.'

'Dan moet ze rechtstreeks de berg op zijn gegaan. Ik denk dat ze voelde dat er iets mis was.'

Tim knikt. Hij had het al die tijd geweten: Senne wist dat ze in nood waren en ze was hen te hulp gekomen. Maar waar was ze nu?

'Ik ben zo bang dat er iets ergs met Senne is gebeurd.' Dan kan hij zijn tranen niet meer inhouden.

'Stil maar,' sust zijn moeder hem. 'Senne is een hond die zich prima in de bergen kan redden.'

'Ook met dit weer?' Tim wijst naar buiten, waar de sneeuwstorm onverminderd voortraast.

Zijn vader legt geruststellend een hand op zijn arm. 'Senne loopt heus niet in zeven sloten tegelijk. Ze...'

Tim rukt zijn arm weg. 'Er zijn hier geen sloten,' roept hij, 'maar afgronden wel. Wie weet is ze naar beneden gestort en ligt ze nu ergens zwaargewond in de sneeuw.'

'Ik begrijp dat je je zorgen maakt over de hond,' zegt zijn vader plotseling geïrriteerd. 'Maar ík maak me meer zorgen over Tara en Sven. Jullie hadden nog een vuur om je warm te houden, maar zij...'

Op dat moment vliegt een deur open en de man in het rode skipak komt het kantoortje binnen.

'*Sie sind gefunden!*' roept hij.

Het liefste meisje dat ik ken

Een halfuurtje later komt het bericht dat de snowcat in aantocht is. Iedereen haast zich naar buiten.

Boven het geraas van de storm uit hoort Tim het geratel van rupsbanden. Even later duiken er twee lichten uit het duister op. De man in het rode skipak maant hem aan de kant te gaan. De snowcat rolt voorbij. Zodra hij stilstaat, rent Tim erheen. Als de motor wordt afgezet, hoort Tim geblaf.

'Senne!' gilt hij.

De deur van de cabine gaat open. Als de bestuurder wil uitstappen, wringt Senne zich langs hem heen en springt naar buiten. Ze rent meteen naar Tim toe. Samen rollen ze door de sneeuw.

'Waar was je nou?' vraagt hij. 'Je was opeens ver...' Hij kan niet verder praten, want Senne begint hem enthousiast in zijn gezicht te likken.

Iedereen lacht.

Terwijl Tim overeind krabbelt, wordt Tara uit de snowcat getild. Ze is in een deken gewikkeld, maar ze wurmt een hand naar buiten en zwaait. Dan wordt ze het dalstation binnen gedragen. Mam en pap haasten zich achter haar aan, maar Tim wil op Sven wachten. Terwijl hij Senne bij haar halsband vasthoudt, kijkt hij hoe Sven de snowcat uit wordt geholpen. Zijn linkerarm zit in een witte mitella. Marit vliegt hem meteen om zijn hals.

'Au! Kijk je uit voor mijn schouder!' roept Sven.

Verschrikt laat Marit hem los.

'Sorry,' zegt ze, 'maar ik ben zo blij dat ik je weer zie.'

Sven trekt zijn zusje stevig tegen zich aan. Hij lacht alweer. Zijn moeder geeft hem een zoen op zijn voorhoofd.

'Gaat het, lieverd?' vraagt ze.

'Ja, hoor.' Sven grijnst stoer. 'Alleen een beetje pijn aan mijn schouder.'

'Als dat het enige is...' Zijn vader lacht opgelucht. Terwijl Svens ouders de mannen van de snowcat bedanken, gaat Tim naar Sven toe.

'Hebben jullie het erg koud gehad?' vraagt hij.

'Man, mijn tenen zijn er zowat afgevroren. De wind blies precies langs de rotswand. Ons sneeuwhol gaf wel wát beschutting, maar als die hond van jou niet...'

'Kom je, Sven?' onderbreekt zijn vader hem. 'We gaan even naar het ziekenhuis.'

'Naar het ziekenhuis?' roept Sven. 'Dat is toch helemaal niet nodig?'

'Jawel. Er moet een foto van je schouder worden gemaakt, zeggen de mannen van de snowcat. Gewoon voor de zekerheid. Stel je voor dat er iets gebroken is. Maar je hoeft niet met een ambulance. Ik mag je met mijn auto brengen.'

'En mam dan?'

'Ik blijf bij Marit,' zegt zijn moeder.

Even later loopt Sven met zijn vader naar de auto. Ze stappen in. Svens vader wil net wegrijden, als Tim naar de auto toe rent. Hij tikt tegen het raampje. Sven laat het zakken.

'Wat wilde je over Senne zeggen?' vraagt Tim.

'Dat ze ons leven heeft gered.'

'Hoe dan?'

'Vraag maar aan Tara.'

De auto rijdt weg. Tim kijkt verbluft naar Senne, die achter hem staat. Op haar vacht ligt een dun laagje sneeuw. Hij veegt het eraf en slaat zijn armen om haar nek.

'Ik wist wel dat je een echte reddingshond was,' zegt hij zacht.

Opeens staat Marit naast hem. 'Als zij er niet was geweest...' begint ze. Er springen tranen in haar ogen. Snel buigt ze zich over Senne heen en aait over haar rug. 'Je bent de liefste hond die ik ken,' zegt ze.

'En jij bent het liefste meisje dat ik ken.' Tim flapt het er zomaar uit. Hij voelt dat hij vuurrood wordt.

Marit zegt niets. Ze lacht alleen een beetje verlegen.

'Ga je mee,' zegt Tim daarom maar. 'Iedereen is al naar binnen. Ik wil graag horen wat Tara te vertellen heeft.'

Samen lopen ze naar het dalstation. Senne blijft dicht bij Tim. Alsof ze bang is dat ze elkaar opnieuw kwijt zullen raken.

In het kantoortje zit Tara als een prinses op een rode bureaustoel. Iedereen zit in een kring om haar heen.

'Het was zo vreselijk koud in dat sneeuwhol,' hoort Tim zijn zusje zeggen. 'De wind blies er gewoon naar binnen. We zaten heel dicht tegen elkaar aan, maar we kregen het steeds kouder. Sven zei dat ik wakker moest blijven. Hij heeft me verhaaltjes verteld. Maar zijn tanden klapperden. Kijk, zo.'

Iedereen moet lachen als Tara het voordoet.

'Hij kon bijna niet praten,' vervolgt ze. 'Na een poosje hield hij op. We voelden onze voeten niet meer en we moesten aldoor vreselijk rillen. Ik was zo bang dat we dood zouden gaan...' Er rollen ineens twee dikke tranen over haar wangen.

Haar moeder slaat haar armen om haar heen.

'Ach, liefje,' zegt ze zacht.

Maar Tara duwt haar weg. 'Laat me nou verder vertellen. Toen we de moed al bijna verloren hadden, hoorden we plotseling gehijg buiten ons hol.'

'Senne,' zegt Tim.

'Je moet niet alles verklappen,' zegt zijn zusje kattig. 'Trouwens, hoe weet jij dat?

Tim lacht. 'Omdat Senne eerst bij ons is geweest.'

Tara's mond zakt open. Dan vertelt Tim hoe het bij hen is gegaan. Dat hij Senne heeft opgedragen om pap te gaan halen. Dat Senne maar niet terugkwam en pap ook niet. En hoe bang hij is geweest dat Senne gewond was geraakt. Of erger.

'Ze was bij ons,' zegt Tara. 'Ze kwam opeens ons hol binnen en ze heeft me helemaal afgelebberd.' Tara giechelt.

'Ik hoorde van Sven dat Senne jullie leven heeft gered,' zegt Tim. 'Wat heeft ze dan gedaan?'

'Nadat ze ons zo had afgelikt, ging ze helemaal over ons heen liggen. Sven probeerde haar eerst weg te duwen, want het was best zwaar. Maar ze liet zich niet wegduwen. Toen lieten we het maar zo, want het was wel lekker warm.'

'Dat deed ze bewust,' roept Tim opgewonden. 'Senne wilde jullie beschermen tegen de kou. Ze heeft jullie leven gered!' Opnieuw slaat hij zijn armen om haar heen.

'Ik denk dat je gelijk hebt,' zegt zijn vader. 'Als Senne er niet geweest was dan...' Er schieten tranen in zijn ogen. 'Zullen we maar eens opstappen?' zegt hij gauw.

Even later lopen ze naar de auto. Marit en haar moeder rijden met hen mee. Het is een beetje proppen. Ze moeten met z'n vieren op de achterbank. Tim zit dicht tegen Marit aangedrukt. Hij krijgt het er warm van.

Terug in het chalet begint Tims moeder meteen aan een stapel pannenkoeken. Ze rammelen allemaal van de honger. Tim zit naast zijn vader op de bank met Senne aan zijn voeten.

'Het was wel een spannend avontuur dat we beleefd hebben, hè pap?' zegt Tim.

Zijn vader lacht een beetje zuur. 'Ik had me onze eerste vakantiedag wel een beetje anders voorgesteld,' zegt hij.

'Maar dankzij Senne is het allemaal goed afgelopen.' Tim aait zijn hond over de kop.

Zijn vader doet zijn mond al open om iets terug te zeggen, als er een mobieltje rinkelt.

'Dat is die van mij,' zegt Marits moeder. Ze neemt op.

'O, fijn,' zegt ze. 'Ja. Nee. O. Nou, tot straks dan.' Ze legt het toestel neer.

'Dat was Sven,' zegt ze. 'Het valt gelukkig allemaal mee. Hij heeft niets gebroken. Zijn schouder is alleen maar flink gekneusd.'

'Mag hij nu niet meer skiën?' vraagt Marit verschrikt.

'Jawel,' antwoordt haar moeder. 'Hij moet alleen wat rustig aan doen, heeft de dokter gezegd.'

Tim grinnikt. Sven en rustig aan doen...

'Dus hij hoeft niet in het ziekenhuis te blijven?' vraagt Marit.

'Nee, hoor. Papa komt nu met Sven naar huis. Over een halfuurtje zijn ze er.'

'Mogen we zolang opblijven?' vraagt Tara.

De twee moeders kijken elkaar even aan.

'Nou, vooruit dan maar,' zeggen ze tegelijk.

'Hoe zou het eigenlijk met Julia zijn?' vraagt Tim zich hardop af.

'Toevallig kwamen ze haar tegen op de röntgenafdeling,' antwoordt Marits moeder. 'Julia is minder goed terechtgekomen. Haar knieband is gescheurd. Ze wordt er straks aan geopereerd. Ze zal wel een paar dagen in het ziekenhuis moeten blijven.'

Ze zijn er allemaal stil van.

'Kunnen we morgen naar haar toe?' Vragend kijkt Tim naar zijn vader.

Die fronst even. Dan knikt hij.

'Jullie moeten maar iets lekkers voor haar meenemen,' bromt hij. 'Al blijf ik vinden dat ze het eigenlijk niet heeft verdiend.'

'Dan koop ik gelijk een lekkere kluif voor Senne,' zegt Tim, 'want die heeft het wél verdiend.'

10 overlevingstips op de piste

1 Zorg dat je goed uitgerust bent als je gaat skiën.
2 Zorg voor een goede skiuitrusting. Skikleren houden je droog en warm. Een skibril of zonnebril zorgt ervoor dat je ogen beschermd worden tegen het zonlicht dat weerkaatst op de sneeuw. Draag handschoenen. Als je valt, zijn je handen beschermd. Ook wordt tegenwoordig wel een valhelm gedragen.
3 Neem een goede zonnebrandcrème mee. In de bergen is de zon veel feller.
4 Kleed je extra warm aan als het waait.
5 Skiërs die lager op de piste skiën dan jij hebben voorrang. Skiërs die hoger skiën dan jij moeten jou voor laten gaan.
6 Eet en drink wat op zijn tijd.
7 Neem, als je die hebt, je mo-

biele telefoon mee en zet het nummer van de reddingsdienst erin.

8 Neem waarschuwingen van
   het plaatselijk gezag serieus.
   Als een deel van de piste is
   afgesloten wegens lawine-
   gevaar, (zwarte of zwart/
   geel geblokte vlag) ga daar
   dan ook niet skiën.

9 Mocht je toch in een lawine
   terechtkomen, gooi je stok-
ken weg en doe je ski's uit. Maak zwembewegingen om
aan het oppervlak van de lawine te blijven. Houd je
armen voor je gezicht als je voelt dat de
sneeuw tot stilstand komt.

10 Neem geen onnodige risico's.

Ski-woordenlijst

Chalet Houten huis, soms met een stenen onderbouw.

Skipiste De helling waar je vanaf kunt skiën. Hoe steiler de helling hoe moeilijker die is. De moeilijkheidsgraad van een helling wordt aangegeven met kleuren.

Groene piste De makkelijkste piste: licht glooiend.

Blauwe piste Een wat steilere en dus lastiger piste.

Rode piste Een nog moeilijker piste.

Zwarte piste Hier is de helling het steilst; deze route is eigenlijk alleen voor gevorderde skiërs.

Oefenpiste Een skipiste voor beginners. Hij heeft een heel flauwe helling.

Om naar beneden te kunnen skiën moet je eerst naar boven. Dat kan op verschillende manieren:

Sleeplift Aan een lange kabel met een soort haak eraan word je de berg op gesleept. Je ski's staan daarbij op de sneeuw.

Stoeltjeslift Aan een lange, dikke kabel hangen stoeltjes voor één of meer personen. Daarmee ga je de berg op. Je hoeft je ski's niet uit te doen. Er zit een veiligheidsbeugel op zodat je er niet uit kunt vallen.

Kabelbaan Aan een lange, dikke kabel hangen gondels die aan de kabel omhoog worden getrokken. Het beginstation ligt meestal in het dal en het eindstation hoger op de berg. Voordat je in de gondel stapt, moet je je ski's uitdoen. Die zet je dan in een bak aan de buitenkant van de gondel.

Gondel Soort cabine die met een metalen beugel aan de kabel is bevestigd. Er zitten ramen in en bankjes om op te zitten.

Dalstation Beginpunt van een kabelbaan.

Bergstation Eindpunt van een kabelbaan.

Snowcat Voertuig op metalen rupsbanden die de sneeuw op de pistes glad en rul maakt.

Met de boeken van RUGZAKAVONTUUR

Joris en Nikki gaan stiekem de zee op in een krakkemikkig bootje. Dat kan nooit goed gaan!

Lex en Morris schamen zich rot op de blootcamping. Vooral tegenover meisjes.

kom jij de vakantie wel door!

Merel en Melle mogen mee op de hondenslee. Geweldig! Totdat ze worden ontvoerd.

Joosje vindt het kamp voor verlegen kinderen doodeng. Maar Stevie is nóg verlegener.

WWW.RUGZAKAVONTUUR.NL

Harmen van Straaten
Herrie in de huttenclub

Leopold   RUGZAKAVONTUUR

Lydia Rood
Smokkelkind

Leopold   RUGZAKAVONTUUR

Vanaf dag één gaat er van alles mis in de Huttenclub van Menno, Said, Julia en Henk.

Burdie verdwaalt op Schiphol. Twee meisjes helpen haar door de douane... in een tas.

Greet Beukenkamp
Sneeuwstorm

Leopold   RUGZAKAVONTUUR

Maren Stoffels

Schim in het bos

Leopold   RUGZAKAVONTUUR

Tims skigroepje komt in
een storm terecht. Tot over-
maat van ramp verdwijnt
zijn zusje.

Kairo is weg! Tessel denkt
dat de hond ontvoerd is.
Samen met Bloem volgt ze
de sporen.

RUGZAKAVONTUUR

Win jij een RUGZAK vol met boeken?

Doe mee met de wedstrijd en stuur
je leukste vakantieleesfoto naar
info@rugzakavontuur.nl